能力プログラム開発のエキスパート、本井秀定さんの魂の気づき

人生を変えた 小さな命との出会い

アネモネ通販で好評の、生体ミネラル「希望の命水シリーズ」の普及に務める本井秀定さんは、近未来の社会を見据えたサバイバルのためのプロジェクトや物作り、それにまつわる講演会など、幅広いスケールで活動されています。その人間性と質の高い知識によって、様々な分野のプロフェッショナルからも信頼の厚い本井さんが現在の活動に至るには、まさに〝自分の魂の声〟を聞くこととなった出来事が、きっかけとなったそう。その時の様子を描き、かつて、ご自身のブログでも公開して共感を呼んだ1匹の子猫とのエピソードをご紹介していただきましょう。

（2012年12月号掲載）

生体ミネラル水と人生向上の研究家

本井秀定さん

Profile

もといひでさだ◎生体ミネラルを取り扱う、株式会社JES他4社の最高経営責任者。元・東放学園「マネージメント論」講師。「記憶法」「速読法」「α波ミュージック」「集中力呼吸法」などの能力開発プログラムを企画開発。通教生徒数実績が延べ60万名。経営、哲学、環境、健康、精神世界を問わず、あらゆるジャンルからの相談も後を絶たない。「真実・希望・喜び」をテーマにしたブログは、1日最高20万アクセスを誇る。幼少時からの臨死体験、宇宙からのコンタクト、東日本大震災の予知など、実業家には珍しくスピリチュアルな一面を持つ。

https://j-smc.co.jp/

予言されていた運命的な面接 火の玉ボーイがやって来る

今から29年前、私が放射能の研究室に勤めていた頃、ある出来事が起きた。小さな命との出会い――。

それが、その後の自分の運命を変えることになった。

当時26歳だった私は、前職の会社が倒産し、プータローだった。しかし、お金の余裕が多少あったので、しばらく就職するつもりはなかった。

ある日、本屋で立ち読みしていたら、1冊の本が目に飛び込んできた。〝人類を救う！ 核シェルターの設計施工会社〟という見出しを目にし、「核戦争でも想定しているのか？ そんなバカな……」と思いながらも、やけに気になった。

メモする紙がなかった私は、その会社の電話番号を手に書き、アパートに帰ってから連絡してみた。

「面接ですか？ 今、当社は求人を行ってませんよ」。

そう言われたが、「でも、社長に会うだけ会わせてください！」と頼み込み、東京都内にある本社に向かうことになった。

当時その会社は、国鉄（現ＪＲ）の地下トンネル工事の設計をほとんど請け負っていた。核シェルターに関しては、会社の中の「防災部」という、小さな研究室で扱っていた。

防災部は、社長が「ピサの斜塔」の修復工事の見積もり依頼を請け、イタリアのフィレンツェに向かう機内で、いきなり天から「放射能の被害から人々の命を守りなさい」との啓示が降りて新設された部署だそうだ。

年も押し迫った12月25日、社長と面談が決まった。

会うなり、「あなたが火の玉ボーイですか？」と言われた。「いや、当社の顧問から『クリスマスに若い火の玉がやってくる。彼が来たらぜひ採用しろ』って言われててね。彼女は実は、私のお抱えの霊能者なのだよ」。

とっさに私は、「来るんじゃなかった。変な会社だ」と思った（笑）。でも乗りかかった船、火の玉と呼ばれた自分がどんなことを経験するのか、確かめてみたい気持ちになったのだ。

会社側は私を異例の高待遇にし、アパートまで用意してくれたため、ボストンバッグひとつで引っ越すことになった。

頭上から落ちてきた砂袋と 職人たちの嫌がらせ

弱小な防災部にいたのは、社長の息

子と設計士の2人だけだった。入社後、この部署は、50名近くいる本社の中では鼻つまみの部署だと分かった。

そして、日本だけ核シェルターの普及がまったくなされていないことを知った。

ロシアは人口の200％以上収容できる施設が国内に散在している。米国の場合は100％だ。

当時、核シェルターがTVや週刊誌の話題にのぼり、その取材の対応を私がしていた。同級生は、私がニュース番組に出ているのを見てびっくりしていた。

しかし、問い合わせが来るのは興味本位の人ばかりで、さすがに実際に建築を依頼してくる人は少なかった。そのような中、ようやく1件のシェルター建築が決まった。その現場監督に任命された私は、意気揚々としていた。

ところが、事件が起きた。

ある日、地下にいた私の頭上すれすれに、いきなり砂袋がズドンと落ちてきたのだ。2階まで吹き抜けの建物のため、どうも上階から落ちてきたようだ。下手をすれば、首の骨を折って死んでいただろう。

私は即座に、「誰ですか！　今、砂袋を落としたのは!?」と大声で叫んだ。すると、小さな笑い声が聞こえてきた。明らかに職人たちの「わざと」であった。

工事はまったく進まず、予定よりも大幅に遅れ、私はいら立っていた。その時、職人たちの声が聞こえた。

「こんな核シェルターまで作って、生き延びたいかねぇ。地上に出て何も食いもんがなかったら、どうせ餓死だもんな、俺ならいさぎよく死んだほうがマシだと思うぜ。なぁ、みんな！」。

それを受けて、「ははははは」という笑い声が聞こえた。

実は私も、一部共感する部分があった。「でも、これは人類を救う大切な仕事だから」と自分に言い聞かせていたのだ。何を思おうが個人の自由だが、嫌がらせを行ったり、遅刻したり、約束の日を守らないのは、仕事上、怠慢としか思えない。

けれども後日、職人たちがここまで乱れたのは、私に原因があったことが分かった。

実は、工期が遅れたのは会社側のスケジュールミスだった。その際、私は施主に対する言い訳として、〝彼らのせい〟にしたからである。これは上司の指示によるものだったが、職人たちにそれがバレていて、根に持っていたのだ。

見せ物にされた中で飲んだ ツバ入りのお茶と棟梁の心

そして、お昼になった。工事の棟梁が、「今日はおまえのお茶は俺が入れてあげる」と言い出した。

いつも私が昼食時に彼らのお茶を入れていたので、こんなことは初めてだし、変だ。

みんなが一斉に棟梁に注目した。

なんと、私に入れたお茶の中に、自分のツバを「カーッ、ペッ！」と露骨に入れたのだ。そして、私の目の前に〝ツバ入りのお茶〟を「さぁ、飲め！」と言って差し出した。若い衆は、皆へらへら笑っている。

若かった私は、切れる寸前だった。ここでもし、私が衝動にかられて事を起こしていたら、すべてが終わることくらい、百も承知していた。

その時、一瞬、頭の中に母の声がした。それを聞いて、私はなぜかそのお茶を「ズズーッ」と一気に飲み干していた。

たぶん、その時の私は、精気を失って真っ青になって佇んでいたように思う。

すると、棟梁が、いきなり無言で私の背中をドンと叩いた。「よくやった！」と言わんばかりの優しい目をしていた。

それ以降、今までとまるで打って変わったように、皆が仕事に精を出すようになった。若い衆に「お疲れ様」と声を掛けると、ちゃんと返事を返してくれるようになった。

驚いたのは、翌日、棟梁が「いつもそんなパンばかりじゃ体が持たんだろ」と、私の弁当まで用意してくれていたことだ。他の若い衆も、「おまえ、これ食え！」と、卵焼きやらウインナーやらを弁当箱の蓋に入れてくれた。

納期は多少遅れたが、無事、営業第1号の「核シェルター」が完成した。

ひょっとして、棟梁はすべてを計算して、わざと「ツバ茶」行為をしたのかも知れない。

お互いが気持ちをひとつにしなければ、決して良い仕事はできないことを、彼が知らないわけがない。

あのままでは、間違いなく納期は大幅に遅れ、次の予定の工事業者からクレームになっていた。核シェルターは地下室に建築するため、それが終わらないことには、次の建築業者にバトンタッチできないからだ。

職人たちも棟梁も、その遅れの責任から逃れることはできない。しかし、若い衆は私に対して恨みを持ち、全然工事は進まなかった。

棟梁は一種の賭けとして、「この不調和の状態から脱するには、この方法しかない」と、判断したのかも知れない。

彼らは最後までこの件には触れなかったが、私はどうも、彼らから強烈な洗礼を受けたようだ。

ギスギスした人間関係の中で 堪え忍んだ営業職

それは別にしても、この会社での仕事は、精神的にも辛かった。私のいた部署は、世間から脚光を浴びていたが、他の部署からは蔑みの目で見られていた。

「ペーペーの存在で営業職なんて」という理由で、私は当初、社内では認められない存在だったようだ。歓迎会どころか、誰も飲みになど誘ってはくれなかった。

当然ながら、心から話せる友だちなどできなかったし、事務員の女性たちもいつもイライラしていて、私にはお茶すら入れてくれなかった。

私は彼女たち全員から無視されるなど、いじめも受けていた。そして、他の社員は誰も口を聞いてくれなかった。

　唯一の仲間である同じ部署の先輩設計士は、自分よりも高待遇で採用された私に対し、いつもイライラして「営業が何ぼのもんだ！　俺がいなければ柱一本建たないくせに」などと、常に皮肉を言っていた。

　社長の息子である上司の次長も、私を歓迎していなかった。次長は仕方なく父親の命令に従っただけで、設計士の気持ちにも気遣いしていた。

　次長から「お前が入社したことは、波紋以外の何ものでもないんだ！」と酒の席でからまれ、いきなり殴られたこともあった。

「とんだ火の玉ボーイだよ。本当は火中の栗じゃねぇか？　我々は人類を救う大切な仕事をやっているんだ！　おまえはそのことをまったく分っていない、どうせ、ほかの客と同じで冷やかしに入社したんだろ！」とも言われた。

　人類を救うはずの会社なのに……。こんなギスギスした雰囲気の中で、私はいつも針のムシロの上にいた。

　前職の時、私はトップセールスマンだった。その会社は成績には厳しかったが、全社員が家庭的な雰囲気の中で、人間的にも器の大きな人が多かったように思う。事務員も営業マンと一緒になって、喜びや苦しみを共有していた。

　それと比べたら、この会社の雰囲気は最悪だった。

　当時、私は孤独で寂しかった。今思えばおかしなことだが、休日などはあまりにも寂しくて、カレンダーの女性の写真に延々と何時間も話しかけていたこともある。

孤独を癒してくれた出会い
雨の夜に拾った子猫

　入社して1年経とうとする、12月上旬の頃だったと思う。

　ある晩、私は自分の部屋にいた。外は雨なのに、さっきからずっと猫の鳴き声がしている。どうも子猫のようだ。

　猫好きの私は、傘を差して鳴き声を頼りに探した。すると、道路のくぼ地の水溜まりの中に、まだ目も開いてない子猫が、鳴きながらびしょ濡れになってもがいていた。

　子猫は灰色がかった白い毛並みで、寒さでぶるぶる震え、痩せこけていた。近くに親猫はいない。このままここにいたら、間違いなく車にひかれてしまう。そう思った私は、思わず子猫を抱き抱え、自分のアパートに連れて行った。

　部屋に戻るとすぐに子猫の体を拭き、「とにかく温めなければ死んでしまう」と思い、下着にしていたシャツでくるんだ。

　食べ物を与えようと思ったが、私は毎日外食だったため、部屋の中には何もない。でも、子猫はその後、スヤスヤと眠ってくれた。

　翌朝は、子猫の鳴き声で目が覚めた。私は早速、牛乳と食パンを買ってきて食べさせようとしたが、まったく口にしない。生まれたばかりなので、どうも母親のおっぱいを欲しがっているようだ。

　出勤の時間になり、私はいったん会社に行き、すぐに営業に出るフリをしてアパートに戻った。その後、ペットショップに行き、店の人に何を与えたら良いかを尋ねた。

　すると、「お客さん、生後間もない子猫には1日5回くらい哺乳瓶でミルクをあげないと、すぐに死んじゃいますよ」と言われた。

　まさか会社に猫を連れて行くわけにも行かない……。周りに相談できる友人もいない……。「こうなったら、できるだけひんぱんにアパートに帰るしかない」と思った。

心に希望を与えてくれた
チョコと過ごした日々

　私は子猫に「チョコ」と名づけた。それは、子供の頃に実家で代々飼っていた猫の名前で、私は猫を見るたびについ、「チョコ」と呼びかけていたのだった。

　翌日は運良く休日だったので、思いっきり世話をしてあげることができた。

　チョコは1日中遊んでじゃれていた。久しぶりに楽しかった。

　こうしてチョコと過ごし、4日目に入った。私が帰ると、チョコは目が見えない体で、匂いを探りながらヨタヨタと必死にそばに寄ってこようとする。寝る時も、私の匂いのするシャツに包まれないと、寝ないようになった。

　上司の目を盗みながらアパートに帰るのは大変だったが、とても心が安らぐひと時で、いつも急ぎ足でアパートに帰ったものだ。部屋に帰るたび、いつもは暗かった部屋が、とても明るく感じられた。

　今の私にとって、チョコが唯一の「希望」だった。

　しかし、5日目の夜、なぜかミルクを飲む量が少なくなった。お腹もパンパンに膨れている。チョコは、盛んに私の周りをうろちょろ動き、ニャンニャン鳴いてばかりいる。

「昼間、ミルクをあげすぎたせいかな？」、そう思ったものの、その日、私はそのまま寝た。

あっけなく旅立った命が
大切なことに気づかせた

　翌朝、目が覚めた私はチョコを見た。いつもならチョコの鳴き声に起こされるのだが、今朝は枕元で静かにぐっすり眠っている。

「かわいいなぁ……」そう思いながら、私はうつぶせのまましばらく眺めていた。そして、起こさないようにそっと立ち上がり、いつものようにお湯を沸かし、ミルクを作ってあげた。

　普段なら、すぐにそれに気づいて、ニャーニャー鳴きながら私の足もとにまとわり付くのだが、今日は静かに眠ったままだ。

「……まさか！」、そう思った私は、チョコの体を軽く突っついてみた。

　その瞬間、すべての時間が止まった。

　チョコは、そのままの状態で「コロン」と横になり、固く冷たくなっていた。

「おぉぉぉぉ！」

　思わず声にならない声が出て、涙が止まらなかった。

「なぜだ！なぜだ！なぜだ！」

心の拠り所を失った私は、その日、会社を休んだ。そして、公園の隅に穴を掘り、チョコを葬ってあげた。

その後、ペットショップに電話して、何が起きたかを話した。すると、「えっ、ウンチを出してあげなかったのですか？」と言われた。

それを聞いて、生まれたばかりの動物は、お母さんが子供の肛門を舐めることで便を促すのだと知った。でも、親がいない場合は、飼い主が温かく濡らした脱脂綿で肛門を刺激するということも……。

そんなことすら知らないで、私は一匹の子猫を殺してしまった。貴重な生命を、私の無知が原因で……。

この時、「知らないことは罪」であることを痛烈に自覚した。

「猫の命ひとつ救えないで、何が人類を救うだ！　おれはなんて大馬鹿者なんだ！」。そう思った私は、自分に対するどうしようもない憤りが湧き、会社に辞表を書いた。

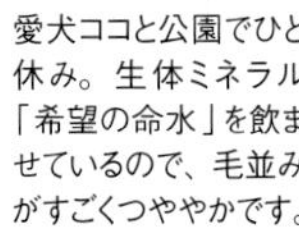

愛犬ココと公園でひと休み。生体ミネラル「希望の命水」を飲ませているので、毛並みがすごくつややかです。

事務所内で菜園をラクラク実現中。生体ミネラルとともに自動灌水プランター「希望の農園」（販売終了）を使えば、食糧危機がやって来ても、きっと大丈夫。

子猫の死が教えてくれた人生の意味と阿弥陀久慈（あみだくじ）の法則

しかし次長は、なぜか私の辞表を受け取ってくれない。設計士も「頼むから辞めないでくれよ」と泣きつく始末。

彼らは、子猫が死んだことが原因で私が会社を辞めるなどとは、想像もしていなかっただろう。

次長がどうしても辞表を受け取ってくれないため、翌日、私は直接社長室に向かった。自分の心に変わりはなかった。社長はすでに、次長から私の件を聞いていた。

「防災部ではなく、土木建築部に転属しないか？　部長もずっと君を見ていて、ぜひ君が欲しいらしいんだが」。

「いえ、私は防災部の営業がしたくて入ったんです。すみませんが辞めさせてください」。

そのような会話をして、この会社を退職した。

＊

現在、私は主に数千人の医療関係者を前に、「知らないことは罪」というテーマで何度も講演している。

なぜなら、知らないことが原因で、病気や恐怖、不安、絶望などの、不幸や苦しみが訪れるからだ。

しかし、現状をしっかり認識し、原因と対処法を知ってしまえば、それら不幸のすべては消え、幸せが訪れるようになっている。

そう言えるのは、このような内容の法則が存在するからである。

私は、これを「阿弥陀久慈（あみだくじ）の法則」と呼んでいる。

本場の新潟県魚沼産コシヒカリで、数々の賞を受賞している農家さんたち。今年から、私が推奨する生体ミネラルでの米作りを採用してくれました。

- **「知る」とは、まずは過去の選択が今の自分を形成していることを自覚すること。**
- **そして、間違った選択をしていたなら、心から反省し、正しい認識と愛に基づく選択をすること。**
- **そうすれば、過去の経験が大きな意味を持ち始め、それらすべてが点から線へと繋がって、自分の生まれてきた使命や人生の目的、方向性が見えてくる。**
- **すると、日常にシンクロ現象がひんぱんに起き始め、すべてが良い方向へと向かわざるを得なくなる。**

子猫の死は、その後の私にとって人生観を変えた大事件だった。

それがきっかけとなり、私はこの法則に気づき、その後の考え方も運命も変わった。

あの体験がなければ、今こうして独立し、放射能対策も含めた、真の健康を取り戻すための啓蒙活動を行うことはなかっただろう。

発売直後から
お問い合わせ殺到!

bio magazineの**最新刊!**

冷えとりの書籍で大人気の
“川嶋 朗先生”大推薦!

あなたの知らない 生体ミネラルの真実

1,143円(税別)
ビオ・マガジン
※現在はKindle版のみ

次世代療法とミネラルバランスの重要性

医師**沼田光生**著

薬漬けの現代医療から ミネラルを使った予防の医療へ

「現代人はミネラル不足」であることは知られていても、理解されていない部分もありました。カルシウムや鉄などの“単一ミネラルの過剰摂取で健康になれる”と信じ込まされていたのです。それでは病気が治るどころか、新たな病気を誘発させるだけです。

実は多種類の鉱物元素が微量にバランス良く含まれたミネラルこそが、あらゆる生命活動にとって最も重要な栄養素。それを私は「生体ミネラル」と言っており、日常の健康維持において重要視されるべきものだと考えます。

生体ミネラルで使用されているのは、日本産の「黒雲母」。開発者の嶋西浅男先生が約50年前に、世界中の鉱石を調べ歩いた結果、たどり着いたのが、成分的に調和の取れた日本産の雲母だったのです。

ミネラルを使って、自分の健康を守ってください!

コンテンツ

- 本物の「健康」とは
- 生命を支えるミネラル
- ミネラルの役割と相互作用
- 生命の起源に関わる元素(ミネラル)
- 生命の起源と酸素利用の起源
- 歴史が証明する鉱物(ミネラル)の効果
- 知られざる雲母(うんも)の特性
- 健康寿命をのばす秘訣
- 食生活と健康寿命
- ミネラルと放射性物質
- 次世代型医療への期待 治療から予防へ

沼田光生

医師。海風診療所院長。診療所とともに併設された予防医療総合施設「トレーフル・プリュス」において、予防医療からがん治療にいたるまで個人のライフスタイルにあった医療をトータルにサポートしている。

ちょっとした工夫で明日が変わる！

汚染から健康を守る暮らし方の知恵

かつて防災研究所に勤務し、いざという時の対処を会得し、その後も健康をサポートする「生体ミネラル」の普及活動に従事する本井秀定さんは、いわば、サバイバルの方法に詳しい有識者。汚染下の環境で生き抜く知恵が、現在も役立っているという本井さんに暮らし方のコツについて教えていただきました。

（2011年8月号掲載）

アルコールの不思議な影響力

僕はかつて「防災研究所」で働いていました。そこでは、当時ブームだったこともあり、核シェルターも扱っていて、そのマスコミ担当が僕だったんです。

そこには1年間しか在籍しませんでしたが、徹底的に放射能について教えられ、それと同時に放射能汚染から助かった人たちの統計をとらされました。

その中で分かったことは、「アルコール依存症の人は被爆をしても、原爆症にかからなかった」ということ。先輩社員の話によると、被爆した人の中には「もうダメだ、もう終わりだ」と思い、やけになって毎日酒を浴びるように飲んでいた人たちがいたそうです。すると、彼らは数ヵ月後に原爆症が消えてしまったんですね。この話を聞いて、僕は「なぜだろう？」と思っていたんです。

実際に、核シェルター内にはアルコールを用意します。その理由は、単に「シェルター内は狭いし、暗いし、寒いから、精神的にリラックスさせてストレスを取り除くためだろう」と思っていました。

もちろんその理由もありますが、それ以外の説を後日、たまたま耳にしたんです。「どうも、人体のアルコール分解能力と、放射性物質の除去能力が比例するのではないか？」というものでした。その説では、「アルコールそのものも放射性物質だから」ということでしたね。これは確証ではなく、単なる推測でしょうから、仮にそうだとしても、アルコールを過度に摂りすぎて、逆に体を壊しては元も子もないですが……。

核シェルターの基本的なポイント

核シェルターと言うと物々しいですが、まず、最大のポイントは「地下室」であることが絶対条件です。そして、シェルター内に作る階段の角度がポイントになります。それだけで放射線量が数百分の1〜数千分の1に減るんです。

原爆の場合、放射線というのはまっすぐに進む性質を持っています。これは、電磁波と似たような性質なんですね。例えば、屋内にいる場合、レントゲンのX線撮影と同じように「外部からシーベルトの影響を受ける」わけです。このことから、室内では窓側にいるよりも、なるべく部屋の中心、あるいは家屋の中心にいたほうが安全です。その際、窓から部屋の中心までの間に壁が1枚でもあれば、なおさらベター。もちろん厚さがあればもっとベターです。

でも、「窓のカーテンを3重や4重にすれば、影響がもっと和らぐのか？」といった考え方をしてまで、神経質になることはないと思いますよ。むしろ、外に出ている時間を短くするといいですね。

核シェルターの中で一番重要で欠かせないのは、「ABCフィルター」という空気を清浄する機械。ABCのAはアトミックで「放射能」のこと。Bはバイオロジカルで「細菌」のこと。Cはケミカルで「化学」です。つまり、ABCフィルターは、化学兵器に使われるこれらの成分をすべてろ過できるんですね。

簡単に言えば、ホコリやチリをミクロ単位で、より細かく除去できるということは、放射性物質も除去できるということなんです。

ちなみに世界規模で核シェルターの保有率を見た場合、ロシアの場合は、全国民の2倍にあたる人数が入れる核シェルターを設置しています。アメリカは全国民分を設置しています。しかし、日本は2回の被爆国でありながら全国民分の0・01％にも満たないのです。

例えば、原発のメルトダウンによって、ごく少量のプルトニウムが爆発して空中に飛散しただけでも、その影響は計り知れません。わずか角砂糖5個分で日本の全国民の致死量にあたるとも言われるプルトニウムが陸に海に降り注げば、そこに住む生物の食物連鎖でその影響はさらに遠方へと拡大するでしょう。

つまり、福島原発は世界にとっても大問題というわけです。

内部被曝は食物連鎖を視野に

現在、空気中を漂う放射性物質以上に懸念されているのが、「食」による内部被曝です。体内に溜め込んだりすると、それらを排出しない限り細胞に影響を与え続けます。

内部被曝で特に気をつけなくてはならないのは、魚や海産物です。例えば魚に、「魚ちゃん、こっから先に行かないでね、危険だから」って言える？　魚はみんな潮流に乗って全国を駆け巡ってます。

だから、僕は思うんですね。「北海道で獲れた魚なら安全なの？　九州で獲れたら安全なの？　その魚は福島からやって来たかもしれないよ」と。

陸も空気も繋がっているけど、一番リスクが高いのは海なんです。すでに、小魚のきびなごの安全性が疑われてますよね？　海では、放射性物質を浴びているきびなごを食べる小魚がいる、その小魚を食べる大魚がいる、その大魚をさらに大きな魚が食べている……、という食物連鎖が起きます。

すると、魚の体内で放射性物質の濃度がどんどん高くなっていくんです。そうなると、「遠いところで獲れた魚だし」って、安心してられませんよね？

となると、〝食物をいかに安全な食に変化させて食べるか〟ということが、今後、一番の課題だと思うんです。

アルコールは酵素の一種

現在、「塩・味噌・玄米」といった発酵食品の効用で被爆を救った秋月先生のエピソードが話題になっていますが、奇遇なことに、その教えがまさしく核シェルター内にも応用されているんです。

さっきの話に戻りますけど、アルコールも酵素の一種、要するに発酵食品です。アルコールは、味噌作りの延長上にできるものですよね。だから、当然効き目が出るんです。味噌自体も実験データが出ているようですけど、放射性物質の除去率はかなり高く、計り知れないくらい高率です。それよりもっといいのは、「酒粕味噌」です。自分で作るのも簡単ですよ。酒粕と味噌を混ぜて、ご自分の好きな魚を漬けておくのもいいですね。

そうすることによって、その魚がたとえ放射性物質に汚染されていたとしても、放射性物質がだんだん除去されて、保存食にもなります。酒粕味噌の中に、野菜でも魚でも肉でもいいから漬けておけば、翌日食べてもおいしいし、1ヵ月後でもおいしいんですよ。理想は、漬ける際に、ちょっと「生体ミネラル成分」を入れること。時間とともに食材が浄化されますから。

そういうふうにして酒粕味噌漬を作ったら、冷凍しておくと便利ですよ。

発酵の時代に突入している

やっぱり今、「発酵の時代」に入ってきてるんですね。とにかく、発酵食品全般がおススメです。

酒粕はもちろん、ぬか漬けもいいですし、適度にお酒を飲んだりするのもいいでしょう。酒粕やお酒が苦手な人は、それこそ良質な生体ミネラルを補給していただきたいですね。生命力を支えるという意味で、行き着くところは、発酵する酵素の核となる生体ミネラルの働き次第なんです。

ミネラルについては、多くの先生たちが科学的根拠を示したうえで、「放射性物質への対抗力がある」と述べています。

それから、意外かも知れませんが、天然酵母でできたパンもいいんです。パンはいったん発酵した後、焼き上がるうちに酵母菌が死んじゃいますが、僕の感覚では「体内でまた働くんじゃないかな」という気がします。例えば、核シェルターには必ず乾パンを入れますが、それはたぶん、非常食として保存がきくからだけじゃないんです。乾パンには適度な塩分が入っているので、体内で多少発酵作用を期待できるからではないでしょうか。

パンは、秋月先生の教えの「玄米や塩の効用」の考え方の延長でもあるんです。玄米もパンも同じ穀物でしょ？　それに、パンを発酵させる際には、通常少量の塩を入れますよね。発酵を促す媒体として、ミネラル成分である塩を入れるのは非常に理に叶っています。

秋月先生の教えを取り入れるにしても、「塩・味噌・玄米だけ」って考えちゃうと、幅のない食生活になりかねません。でも、教えの延長上で食品を捉えると、意外と選択肢が広がってくるんです。「ミネラルがすべて」と言っても過言ではないんです。

安心できる水と野菜とは

放射性物質を取り除いた、サバイバルとしての水を考えるなら「より、ろ過できる装置が搭載されている」のが理想的です。

つまり、「より小さなホコリやチリまで除去できるろ過材」が搭載されている必要があるんです。一番理想なのは、「逆浸透膜」を使った浄水器。あれは非常にいいですね。ただし、ろ過後に純水になっちゃうので、その水に良質の生体ミネラル成分を加えて飲んだほうがいいです。

大気の汚染と雨水を考えると、外で作った野菜の影響も気になりますね。できれば、農薬を使わずに作られたもののほうがいいです。なぜなら、通常、農薬には展着剤と言われる油分が含まれていて、水洗いで簡単に落とし切れないからです。しかも、その油分に大気中の放射性物質が付着してしまうという問題があります。とにかく農薬を使用した野菜は、農薬除去をしっかり行うのがポイントです。

本来、昔から行われていた日本の農業のあり方とは、農薬や化学肥料を使わずに作るというものでした。そう考えると、不自然な状態へと社会全体が偏ってきた結果が、現在、色々な問題となって表出しているのでしょう。

老廃物の排出を心がけること

放射性物質の大半は、チリなどの大気の汚れや花粉と一体化して、地面に落ちることなく、常に大気中に浮かんだままになっています。それらは朝になると、ゆっくりと地面に落ちてきます。だから、「ああ、今日はいい朝だな」って深呼吸でもしようものなら、思いっきり吸い込むことになってしまう。

でもそれを気にして、あまりにも神経質になると、逆にストレスで免疫が弱まって、放射性物質の除去能力が下がる可能性があります。だから、度を超えた神経質になるのも考えものです。

現実的に健康面で一番最初に影響が出ると思われるのは、甲状腺です。甲状腺の機能が低下したら、免疫力も下がってしまいます。肺の辺りには免疫力を司る胸腺がありますが、胸腺は全身の免疫力の中枢であり、毒素を排出する力を左右します。つまり、内部被曝した際に、放射能の除去能力に影響するんですよ。

だから、鎖骨の数センチ下あたりを、ぐーっと押してみて、痛みを感じる人は気をつけたほうがいいでしょう。免疫力を刺激する意味でも、この辺りを時々、軽く指先でトントンとたたくといいかも知れませんね。

とにかく基本は、新陳代謝を良くすること。普段から、老廃物をいっぱい出す習慣をつけることです。汗をよくかく人は、放射性物質をためにくいタイプです。

僕がお勧めするのは、「放射性物質の測定値が高い時ほど、汗が出るまでお風呂に入ってください。同時に、水分を多めに摂っておしっこをたくさん出してください」ということ。汗がじんわり出るまで温まるのがコツですから、必ず5分以上は湯船に浸かってください。

とにかく、老廃物を体内に長くとどめておかないことと、尿意を我慢しないことです。それらをとどめておけばおくほど、内部被曝しますからね。こういう心がけで、だいぶ差がでます。

先々を見通して地道な対策を

たとえ現在健康であっても、危惧されるのは5年後、10年後、20年後です。チェルノブイリもスリーマイル島も、広島も長崎もそうなりました。後からじわじわ現れてくるってことです。子供に対しての不安が今後出てくるわけだから、これは深刻ですよね。

そのためにも、今気をつけなければいけないのは、雨水。放射性物質の濃度が高いので、女性は絶対、雨に濡れない方がいいと思うし、独身女性ほど雨に当たっちゃダメです。ちょっとでも小雨が降ったら、必ず傘をさすか、傘がなければすぐ近くの店に飛び込んで、時間をつぶすかしてください。雨に濡れた場合は、なるべく早めに洗い流すほうが賢明です。

僕が防災の研究所時代に学んだことは、現況への対処法として非常に役立っています。当時のノウハウを応用して考えると、生きるすべがどんどん見つかるから、僕はこの状況に対して、そんなに恐怖を感じていないんですよ。

この状況はずっと続きます。内部被曝するかしないかの差は、「知っているか、知らないか」だけの差です。

食の面でも、暮らし方の面でも言えることは、「今回の震災を機に、今まで築いてきた不自然な状態をいかに本来の状態に戻していくか」ということ。そういう生活に戻せば、真の安心感や新しい喜びを生み出すんじゃないか、って僕は思うんですね。

能力プログラム開発のエキスパートが辿り着いた究極の希望

霊的体験が導いたミネラルとの出会い

能力プログラム開発のエキスパートであり、生体ミネラルの普及にも努める本井秀定さん。子供の頃に患った原因不明の難病や霊的体験、親友の死など、様々な出来事に導かれるようにして、ミネラルの重要性を知るに至ったそうです。現在の活動へと繋がっているその体験と、生体ミネラルの素晴らしさをご紹介いただきましょう。

（2013年7月号掲載）

幼い頃からあの世と往復した霊的体験

発作が起きるたび肉体から抜け出ていた

幼少時、私はいきなり心臓が停止するという原因不明の現象に襲われていた。

その発作が起きると、何者かに心臓を鷲づかみにされているような感覚になり、呼吸ができなくなり、そのうち意識が遠のいていくのだった。

そうなると、いつもながら母が悲鳴を上げ、それを聞いた父が慌てて駆け寄ってきた。その近くにいた大人たちも私を取り囲み、体をゆすったり叩いたりした。

しかし、そこに横たわっている私の肉体は何も感じていない。それもそのはず、「自分」は「体外離脱」をしていて、そこにはいなかったからだ。それは自分の意識が肉体から離れるというよりも、自分の目が外界に移動したような感覚だった。

父が駆け寄り、「父だ」と気づいた瞬間に、私は横たわっている自分の肉体を父の目として見下ろしている。ほかの大人たちが駆け寄った時も、気づいた瞬間に視界が瞬時に移動し、それぞれの大人たちの体の中に意識が入り、その人の目線から私を見ているのだった。

しかも、「水をかけたら……」「すぐに医者を……」「心臓マッサージを……」「人工呼吸を……」など、それぞれの大人たちが思っていることが、手に取るように分かった。今になって考えると、その時の私は、まるで憑依霊のようだ（笑）。

その数秒後、横たわる肉体の上空に視界が移動し、やや斜めの位置から、抜け殻のような肉体を冷静に見ている自分。

ふと寂しくなって、「戻らなければ……」と思う。そして息を吹き返す。すると、視界がようやく肉体の目の位置に戻ってくる。

このような、あの世とこの世を往復する現象が、1年間に2～3回は小学4年生頃まで続いていた。

目にする世界の細部まですべてが分かってしまう

中にはこの世を離れ、かなり奥深い世界まで旅立ったこともある。目の前に広がる美しい田園風景の中を飛び回り、精霊と話をしたり、愛にあふれた霊人たちの住む世界に、意識が溶け込んだりした。

その中でとても不思議だったのは、その世界のすべてが一瞬で見えてしまうということ。通常、人間の視覚というのは、細かいところまで確認しようとすると、集中した視点でしか見ることも理解することもできない。

しかし、その視点そのものが大きく拡大し始め、しかも顕微鏡でのぞくかのように、目に映る視界のすべての詳細が、一瞬のうちに克明に「分かって」しまうのだ。

眼下に広がった一面の花畑の丘を例に取ると、花の1本1本の姿や形、雄しべや雌しべの様子、葉の葉脈の流れ、1枚1枚の花弁の形状、蜂が蜜を吸っている様子など、数億本以上あろうかと思われる、それぞれの花の様子が全部見えるのである。

　しかも、花々には固有意識があり、楽しみや喜び、悲しみや怒りさえ持っていて、それらの意識が「宇宙意識」に繋がっているということも……。

　この体験によって、私は後に日本初の速読教材を作り、数十万人の方がこれを学び、多くの能力者を生むことになった。

希望の法則と名付けた霊的なメッセージ

　心臓がいきなり止まって、意識を失ってしまう……と言う奇異な現象は、成長とともに徐々に回数は減少していった。社会人になってから1回だけ発作があったが、それ以降は一度も起きていない。

　2006年7月、瞑想をしていた私はある体験をした。

　上空からいきなり種のようなものが「キーン」と音を立ててやって来て、眉間にズボッと入り、それが脳幹で花火のように爆発したのだ。

　そのとたん、大宇宙の創生や生命発祥の成り立ちが、大パノラマを見ているかのように広がった。まるでビッグバンである。そして、宇宙全体に響く声が聞こえた。（コラム参照）

　私は無宗教だし、自分のことを至って平凡な男だと思っている。ただ、ほんの少し、様々な霊的体験や不思議な現象を体験してきただけだ。

　これまで何十回ともなく、自分の知識や意識とは別の〝何か〟から通信が送られて来た。

　私は、その内容を「希望の法則」とし、9回の連続講演会も行った。今まで会社や様々な事業を起こし、一般的な社会人として生活していた私だったが、その講演会では普段まったく話さないことを語った。

　そんな私を見て、周囲は「気が狂ったの？」「どうしちゃったの？」と心配さえしてくれた。

　しかし、その時話した内容は、後になって整合性が取れていたり、海外のテレビで報道されたビッグバンの新説と内容が同じだったりして、ここでもすべてつじつまが合っていたことが分かった。

亡くなった親友の医師が与えてくれた希望

　この〝通信〟が始まった3ヵ月前、親友だった田辺医師をガンで亡くしていた。

　田辺さんは2つ年上の脳神経内科医で、私の一番の親友だった。アメリカの病院でも大変注目されたドクターだったが、父親の病気のため志半ばで帰国し、生まれ故郷の町医者となった。

　故郷でも名医と評判の田辺さんは多忙を極め、1年後、胃ガンを患った。しかし、ガン治療の実態をよく知る彼は、家族の勧める手術を拒み続け、仕事を続けた。

　それから2人であらゆる治療法を探ったが、結果的にどれも効果はなく、田辺さんは亡くなってしまった。

　実は彼こそが、私と生体ミネラルを引き合わせた恩人である。私は今でも田辺さんがあの世からこのミネラルの存在を、私に教えてくれたと思っている。

　その頃、私は慢性化した膿瘍の手術や糖尿病による様々なトラブルをかかえていた。

　健康を失い絶望感に打ちひしがれていた時、亡くなった田辺医師から霊界からのメッセージを受け取ったのだ。その内容は、「すべての生命力の源は〝水と鉱物と光〟にある」というものだった。

　その直後、まさにメッセージの内容が具現化したと言える、このミネラルに出会った。

　それは、黒雲母花崗斑岩（くろうんもかこうはんがん）を中心とする、太古の海から隆起して生まれた鉱石を、食用酸によって天然イオン化抽出した濃縮ミネラルの液体だった。

　地球の元素で成り立つ生命、特に現代人に不足しがちなミネラル栄養素を、無駄なくバランス良く、速やかに補うこのミネラルによって、私の人生が変わったことから、「希望の命水」と命名した。人生には無駄がない。今にして思えば、すべてが繋がり、すべてが必然だったように思える。

　私は今までの自分の体験を通し、生命とは何か？　魂とは？　自分が生まれてきた目的とは？　真の健康とは？　などと問いかけられてきたように感じる。

　そして、それらに対する答えが、この特別な水によって、導き出されたように感じるのだ。

上空からやって来た霊的メッセージ（一部抜粋）

光の子らよ。
我はそなたたちの主である。
宇宙の本質は、調和と進化にある。
そして調和と進化の根本、
法則は我にある。
我が調和と進化であり法則である。
そのために宇宙を創造し
太陽、そしてこの地球を準備した。

新しき進化をここで遂げよ。

新しき発展をここで遂げよ。

この地球を宇宙の「希望の星」とせよ。

そのためにそなたたちを選んだ。


汝らの苦しみは我にあり。

汝らの悲しみは我にあり。

汝らの嘆きは我にあり。

そなたたちの親である我が
なぜ見捨てることがあろうか。
我は汝らの流す涙の一滴すら見逃さない。
汝らの中には我が因子が
組み込まれていることを知れ。
汝らの中に我がいることを知れ。

全智全能の子らよ。光の子らよ。
絶望などを信じてはならない。
限界などを信じてはならない。
暗黒の中で燦然（さんぜん）と輝く太陽のように
自らを輝かせ。

希望を持って生きよ。

希望こそが進化の基なのだ。

希望こそが発展の基なのだ。

生体ミネラルの素晴らしさ

農薬の除去と汚染水の魚の実験

生体ミネラルは、1992年6月、リオデジャネイロで開かれた第1回目の地球環境サミットで、「地球を浄化する水」として初めて世界に公表された。

あの〝伝説のスピーチ〟で有名な、セヴァン・スズキさんが、切々と訴えた後の発表だった。彼女は、「大人たちが作り上げた文明と、その企業の『自分さえ良ければ』というエゴによって環境は破壊された」と訴えた。

この問題提起に対してシンクロが起きるかのように、同サミット内でその解決法が同時に示されたのである。そこで公表された生体ミネラルの実験は、世界に衝撃を与えた。

化学物質で濁ったドロドロの汚泥水の入った水槽を用意し、生体ミネラルをほんの数滴、その中に加える。すると、水槽の中にみるみる老廃物の塊のような沈殿物が生じ、それを取り除くと、なんと瞬時に澄んだ水に変わったのだ。

さらにその後の研究で、生命に与える影響の実験を行い、驚くべき結果が出た。化学物質で濁った水槽に魚を放流したところ、魚はすぐに上を向き、数分後には口をパクパクさせ、息も絶え絶えとなった。

その状態に、生体ミネラルをほんの数滴加えて撹拌すると、上を向いて瀕死の状態だった魚がしばらくして体勢を変え、何時間も元気に泳ぎ回ったのである。しかもこの水の中では、淡水魚だけではなく、海水魚も同時に生息できたのだ。

すべては、ひとつの法則性に繋がっていると思わせた出来事だった。人間も魚も植物も、生命体に変わりはなく、ミネラルとは、まさに地球そのもののエキスだから、このようなことが起こるのだという。

地球サミット以降、生体ミネラルは汚染水の浄化だけでなく、医学や農業にも次々と採用されて、驚異的な結果が報告されている。

公式な分析においても、生体ミネラルを希釈した溶液に一般の野菜を15分浸け置きしただけで、野菜に付着していた農薬（一般的なテフルベンズロン乳剤）が約94％も除去されたというデータがある。これは農薬まみれの食材を摂っている私たちにとっても、同じことが言えるのではないだろうか。

現代人に欠けるミネラルバランスを補う

現代人はミネラルが欠乏状態にある。ミネラルがないと、酵素などの一切の機能が停止し、ビタミン等の栄養も各細胞に届かないことから、まさにミネラルは五大栄養素の要と言える。

しかも、「ミネラル」という言葉の源は「鉱石」を意味する。すべての生命体は地球から自然発生したことから考えても、地球の構成配分に近い「鉱石」こそが、最も調和がとれたミネラルバランスにあることは、容易に理解できるだろう。

このように、ミネラルの特徴を一言で言えば、〝理想的な調和の働き〟にあると思う。

ミネラルバランスとして理想的なのは、私たちの住んでいるこの「地球」である。地球のミネラルは、全部で100～116種類と言われている。ところが現代人が摂取しているのはわずか17種類未満で、バランスが偏ったことで、「毒」となって肉体に症状が現れている。

理想と言える全体の中のわずか15％では、バランス以前の問題なのだ。しかし生体ミネラルは、不足したミネラルを補い、生体としての機能を調和へと導く働きがある。つまり地球と同じように、大自然の調整作用が働くのだ。

現代農法から生まれる負のサイクルでできた食材

ミネラルについて多くの方が誤解していることがある。それは、昔に比べ野菜のミネラル分が激減していることが問題なのではないということ。

最も大きな問題は、含まれるミネラルの種類が減少し、全体のミネラルバランスが狂ってしまったことにある。

しかも、農薬や化学物質、遺伝子組み換え食品が、ますますミネラルを消耗させ、ミネラルの偏りと欠乏状態を生む。

これは、例えば次のようなサイクルから生まれる。

＊

●農薬を散布すると、土中のミネラルが農薬を浄化しようと働き、自らが犠牲となってしまう。すると土のミネラル分が著しく消耗される。

●さらに、虫が付かないようにする農薬（総称：ラウンドアップ）や除草剤を散布。

●それでも育つように開発された、農薬に強い抗体を持つ遺伝子組み換え種子（ラウンドアップレディ）を撒く。

●農薬によって土中のミネラルが消耗すると、野菜ができなくなるので、数種類の偏ったミネラル＝合成化学肥料を散布し、とりあえず見栄えのいい野菜を生産する。

●合成化学肥料の偏ったミネラルは不調和なので、ますます大地のミネラルバランスが崩れ、同時に欠乏状態になることで「連作障害」となる。そこで、再び農薬と化学肥料を散布する。

＊

これらの連鎖と悪循環が現代農法の現実だ。このサイクルの中でできた野菜は、外見は立派であっても、実は中身は本来の野菜とは言えない。

例えば人参を冷蔵庫の中にしまい込んだまま、長期間忘れていたとしよう。数ヵ月経ってから取り出すと、腐らずにドロドロ

千葉県君津市にある、東京ドーム20個分（30万坪）の土地で作られている大根畑。「生体ミネラル農法」を取り入れている。

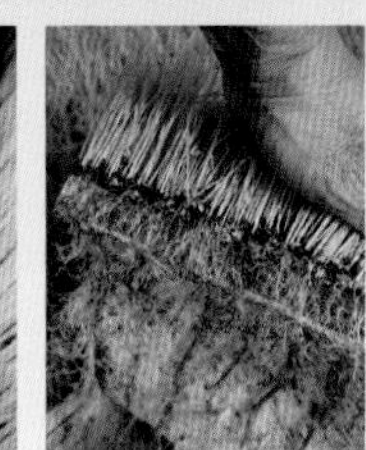

熊本県で農家を営むKさんが育てた稲。土にしっかりと根を張る、健康で丈夫な苗が育つ。

無農薬・無化学肥料のトマトとキュウリ。肉厚でしっかりとした実り方が特徴。

に溶け出しているのがその証拠だ。

ミネラルバランスが調和良く整っていた昔の人参は、腐ったり、ミイラのようにしぼんで小さくなっても、根が生えてきていた。

野菜に気をつけている人がいたとしても、加工食品やお菓子のほとんどは農薬が散布されて育った野菜や穀物か、それを食べて育った家畜の肉だ。つまり、すべての食材が化学物質に侵されている危険性は否定できない。この不自然な食物を毎日食することで、私たちの体もいずれ……と、連想せざるを得ない。

それに対抗できるものとして、ミネラルなどを考慮する必要がある。

ミネラルを使用した農法で安心できる「医農米」が誕生

事実、一番危機を感じているのは農家の方々だろう。続々と農薬などの化学物質を排除する方向へと変化しているが、中には生体ミネラルを使用した農法を実践する農家も増えた。すると、農業でも変化が現れた。

熊本県の農家、Kさんもその1人だ。お米のおいしさの指標である「食味値」は、お米の評価でもあるが、Kさんはどんなに頑張っても「50台の数値」（標準米以下）しか取れず、しかも1反当たりの収穫量は8俵（480kg）そこそこ。

これではまったく採算が取れず、農家をやめようとする寸前だった。そのタイミングで、このミネラル農法を知り、早速試してみたのだ。

すると、初年度にも関わらず、いきなり食味値が82という驚異的な数字に跳ね上がり、しかも1反当たり倍近くの15俵（900kg）も収穫できた。もちろん、無農薬。化学肥料はまったく使用していない。

これは単に、本来の循環と連鎖の方向に、ミネラルが導いただけなのだ。あまりの結果のすごさに、熊本県も動き出した。米どころ、新潟の魚沼産農家もその噂を聞き、動き出した。毎年優秀賞を受賞しているコシヒカリ生産者のトップである3農家が昨年試したところ、食味値はなんと92を記録した。ただおいしいだけではなく、食卓で安心して食べられる「医農米」が誕生したのである。

各種メディアで報じられる現代の食の異変

以下のすべてが、農薬や化学物質との因果関係があるかどうかは、皆さんの判断に任せます。（本井さんより）

●スマトラ沖地震で亡くなった日本人の遺体が腐らず、数週間後には細胞変成を引き起こし、溶け出した。
（東京医科歯科大学教授著『パラサイトの教え』、他より）

●福岡の養豚業者が、餌代の節約のためにコンビニの残り物を与え続けたところ、その子豚のほとんどが死産、流産、そして産まれても奇形児ばかりだった。
（西日本新聞社『食卓の向こう側』より）

●胎児異常が理由の中絶倍増。幼児のアレルギーも10年前より倍増した。
（『朝日新聞』より）

●狂牛病は、農薬や殺虫剤による土壌のミネラルバランスが原因で脳に障害をもたらす、バランスの取れていない「単一ミネラル症候群」であった。
（『エコろじー』より）

●厚生労働省の発表によると、日本人が、亡くなるまでの約11年間は寝たきりになってしまう。
（『産経新聞』より）

●遺伝子組み換え種子を開発した会社の社員食堂では、その種から作られた食品を使っていない。また、ヨーロッパ各地では拒否運動を起こしている。
（英国の権威ある新聞『インディペンデント紙』より）

リスクを避けて健康をキープする時代へ

加速する食材の汚染から積極的に身を守る

2012年12月以降、あらゆる真実と問題が表面化する時代に入ったと言われている。同時にそれは、過去の人類に対する「清算と膿出し」の時期に入ったとも言える。地球には元々なかった農薬や添加物などの化学物質、遺伝子組み換え食品、さらには原発などが、その代表格だ。

TPPで言えば、もうこれは愚かとしか思えない。なぜなら、必然的に消費者への食

本井さんからの20のクエスチョン

以下のすべてが、農薬や化学物質との
因果関係があるかどうかは、皆さんの判断に任せたい。

1. 骨粗鬆症は、カルシウムを大量に摂ると悪化する？
2. 鉄分の摂り過ぎは、なぜ老化や早死にするの？
3. ベジタリアンは、なぜ病気になりやすいの？
4. 玄米を食べ続けると、なぜ良くないの？
5. 胃は、なぜ胃液で溶けないの？
6. 有用な酸素を脳に送り込むには？
7. 酵素とビタミンが働くには、何が必要？
8. 農薬や、添加物、遺伝子組み換え、放射能対策には？
9. キレる子供とミネラルとの関係は？
10. 牛乳や卵を、簡単に安全なものに変える方法は？
11. 目に見えない神経伝達を司るのは？
12. 地球を浄化する手っ取り早い方法は？
13. 世界で一番、農薬や添加物を食べる国民は？
14. 世界で一番、化学物質を利用している国民は？
15. 世界で一番、薬を愛用する国民は？
16. 世界で一番、コンビニの多い国は？
17. 世界で一番、アレルギー体質の人が多い国民は？
18. 世界で一番、人工中絶の多い国は？
19. 平均寿命と健康寿命の格差が大きい国民は？
20. なぜ医療技術が進んでいるのに、ガン患者が増え続けているの？

遺伝子組み換えではない種子を使って育てたレタスとブロッコリー。ミネラルがバランス良く含まれた土から、青々と緑濃い野菜ができる。

の安全が保てなくなるからだ。今までは消費者はある程度、農薬や遺伝子組み換え食品を拒否することができたが、今後はそうはいかなくなる危険性が高い。

今でさえ、野菜やお米等の農産物だけではなく、表示義務のない加工食品（※）などは、間接的に農薬と遺伝子組み換え種子で育てられ、化学調味料などの添加物がふんだんに使われている。

牛や豚、鶏等の食肉も、それに輪をかけて成長ホルモン剤まで施されている物が多く、それが一層加速することが予想される。

ミネラルに関する正しい知識と情報が必要

左記コラムの答えは、すべてミネラルが関係していて、真実を「知らない」と苦しみが生ずる問題ばかりだ。

日本はＴＰＰ加盟後、食の安全を目指そうとしても、ますます選択の自由を失う危険性がある。

私は決して農薬等の化学物質・遺伝子組み換えを、全面否定しているわけではない。文明の恩恵である「便利さ」「手軽さ」等の利点もあるだろう。しかし、これらの利用を避けられない社会ならば、農薬や化学物質と共存する考え方も必要だ。

ミネラルの一番の特徴は、「体内でバランスをとる」こと。非公式の実験では、遺伝子組み換えされたＦ１種子（一世代限りの種）を、生体ミネラルの希釈水で一晩漬け置きすると、なんと60％以上が本来の在来種のように戻り、代々永久に育つことが確認されている。

つまり、遺伝子組み換え食品に対してもミネラルでその影響を最小限に留められる可能性がある。

わずか1滴でも、生体ミネラルはその威力を発揮する。私には、そういった時代を迎える人類のために与えられた唯一の救いであり、希望のように思える。

遺伝子組み換え食品や電磁波、放射能、そして、これから未曽有の危機が予想される新型インフルエンザに対しても、ミネラルに関する正しい情報と知識が必要になってくる。

今後ますます、各人の選択に委ねられる時代に入り、その選択によって、一生健康で幸せな人生を送れるかどうかが決まると私は考えている。子供たちと地球の１００年後の未来を決めるのは、今肉体を持っている私たちが気づき、すぐに実践できるかどうかにかかっている。そのために私は、健康に関する正しい情報の普及に全力をかけて取り組んでいる。

※醤油・味噌・砂糖・パン・マヨネーズ・サラダ油・スナック菓子・ポタージュスープ・アイス・ケーキ・チョコ・清涼飲料水・牛乳・チーズ、など。

新春を寿ぐ新企画がスタート！

最高に。幸せに。人生を歩むヒントをお教えします 前編

釈迦が説いた真実の教え 両極を知ること

「心と体が健康であること」は人生の基盤となるものです。
アネモネ通販でご好評をいただいている生体ミネラル『希望の命水』シリーズは、心身のミネラルバランスを
整えることであらゆる不調和を改善、質の高さとエネルギーの強さで、多くの方の健康と幸せに貢献しています。
これら『希望の命水』シリーズの普及に務めるとともに、
宇宙の真理や人生向上のしくみを研究されているのが、本井秀定さんです。
人間の潜在能力にいち早く着目して「速読術」を世に打ち出した本井さんは、
さまざまな商品作り、プロジェクト、講演など、幅広く活躍されています。
また、よく瞑想中に宇宙的メッセージやサインを受けとったり、未来の壮大なビジョンを見せられたりもするそうです。
そんな本井さんに、2019年の新年を機に誰もが幸せに生きていける、
人生のヒントを語っていただく、新企画がスタートしました。
今回は釈迦が説いた真実の教えと、108の数字にまつわる宇宙真理をうかがいます。

（2019年2月号掲載）

生体ミネラル水と人生向上の研究家
本井秀定さん

思いどおりにならない現実こそが人生を彩り豊かにしてくれる

新年を迎え、どなたも夢や希望に胸を躍らせていらっしゃることでしょう。

すべての人が平和に幸せに生きる世の中を築いていく…。そんな未来のビジョンを、私は心に思い描いています。

人は何のために生まれてきたのか？それは幸せになるためです。自分一人だけ幸せということはなくて、周りの人も幸せであるとき、本当の幸せを実感します。

ときに、思いどおりにならない現実に嘆き苦しむこともあるもの。それらの経験もじつは、魂を磨くためと受けとめると、「成長できてありがたい」と感謝の思いに変わります。無駄な経験は何ひとつなく、人生を彩り豊かにしてくれます。

私自身もこれまで、楽しいこと、苦しいこと、いろいろ味わいました。不思議な霊体験も何度もあり、見えない存在に助けられたと思っています。道を外れそうになると、必ず何らかの形で救われるのです。

まだ若きサラリーマン時代、仕事に没頭し、相当稼いだ時期がありました。お金で欲しいものは何でも手に入ると勘違いし、「自分さえよければ」の傲慢な価値観で生きていました。

ある日、疲れ果てて職場のソファでウトウトしていたら、金縛りにあいました。心臓を鷲づかみにされ、身動きができません。しばらくして、どうにか立ちあがりカーテンを開けると、窓ガラスにものすごい形相でこちらを睨む鬼の顔がありました。

その翌日、洗面所の鏡を見て愕然とします。鬼に見えたのは真の自分の姿で、「その生き方でいいのか？」と問われた気がしたのです。翌日、会社に辞表を提出しました。

その後、いろいろなご縁に導かれ、自ら会社を起こしました。人が健康で幸せに生きるお手伝いをする…その信念で行動していくうちに、物や人が集まり、さまざまな体験から宇宙の真理や魂の本質を学びました。

そんな中、私の人生を変えたのが、生体ミネラル水『希望の命水』との出合いです。天が出合わせてくれたおかげと信じ、以後、病や苦しみを抱える人々をお助けすることが、私の喜びに変わりました（次回、詳しくお話ししたいと思います）。

釈迦は「煩悩を取りされ」と説いていない

仕事で成功したい、お金持ちになりたい、有名になりたい、大きな家を持ちたいなど、誰にも望みや欲しいものがあるでしょう。欲は自分を前に押し出す力になります。仏教では欲を「煩悩」と言い、１０８あるとしています。そして「人間は生きている間に煩悩を克服しなければならない。それは人の苦しみの原因であるから取り去りなさい」と釈迦が説いたとされています。

本当にそうなのでしょうか？　苦しみをもたらすのなら、なぜ神は人間に欲を与えたのか？…そんな疑問も湧いてきます。

じつは、釈迦は「煩悩を取り去れ」とは語っていないのです。それは、後に弟子たちが教団を守るために決めた、組織上のルールでした。自然界にはそんなルールなどありません。

では、実際に釈迦（シッダールタ）が体験したことを探ってみましょう。彼は、人間の苦の原因を探るため、あらゆる苦行を行いました。しかし、悟るどころか、欲や苦しみが増していきました。6年間、肉体苦行に取り組んだ末、彼は修行自体に疑問を持ち始めます。

ある日、やつれて汚れた体を清めるため、川で沐浴していると、スジャータという村娘の唄声が聞こえました。…弦の音は強く締めれば糸が切れ、弱くても音色が悪い。「いま、自分の肉体が悲鳴をあげている。肉体をいじめても何の解決もなく、苦しみから逃れる方法も真理もない」。

シッダールタは、いままで偏っていた修行の愚かさを悟ったのです。一方のスジャータも、修行僧に気づきました。その姿が崇高で神々しく見え、スジャータは畏れ伏しながら、自分の昼食の乳粥を差し出しました。

シッダールタは目で礼を伝えると、それを美味しそうに飲みほします。

様子を見ていた修行仲間は、「シッダールタは堕落した」と口々に言い、その場を去りました。

シッダールタは一人、川のほとりの菩提樹に向きあい、過去をふり返って、両極端の考えに気づいたと伝えられています。

除夜の鐘のバイブレーションは１０８の煩悩を喜びに変容する

人は思考によって行動する生き物ですが、ときに自分の考えに固執し、バランスを崩すことがあります。シッダールタはすべてが調和した「中道」の状態に、真のやすらぎがあると気づきました。

皆さんも1年の締めくくりに、除夜の鐘を聞いたことでしょう。あの鐘の音は、日本人の心に共鳴する響きであり、すべてを清めてリセットする働きがあります。鐘の音に耳を傾けていると、そのバイブレーションに心と体が静かに共鳴していきます。

このとき、内側にある１０８の煩悩が振動して、調和に向かうスイッチが入ります。苦しみや悩みでもなく、すべてが喜びのエネルギーに変容していくのです。別の見方をすると、１０８の煩悩というのは、神が人間に与えてくださった喜びともいえるでしょう。

はるか昔、海から生命が誕生したとき、そこに約１０８種類のミネラル元素※が存在していたとされます。その数字は人の煩悩の数とも重なります。

大晦日に響く１０８回の鐘の音は、太古の海で生命を生み出した１０８のミネラル元素と時空を超えて、共鳴しているのかもしれません。

ミネラル元素の空間には「中道」の世界が生きている

私たちの体内で、ミネラル元素は60兆個の細胞を調律する役目を担っています。ミネラル元素は1種類では機能せず、ほかのミネラル元素が存在して初めて、単体の力が発揮されます。どれか1つが多すぎても少なすぎても不調和の原因になります。ミネラルは、各々が自己主張することも偏りすぎることもありません。調和を図りながらチームとなって協力しあい、生命力の源である喜びの

※現在は118個の元素、そのうちミネラル元素は114個が確認されています。

ほかの元素の存在があってこそ機能するミネラル元素。おたがいを活かしあう姿は、まさに釈迦のいう「中道」。

エネルギーを活性してくれます。

おたがいに活かしあう姿が、目に見えない微量元素の世界にもあるのです。まさに相互扶助のシステムです。これこそが釈迦のいう「中道」ではないでしょうか。そして、「108を調和する力」こそ、苦しみを消して喜びに至る道なのだと思います。

両極を知ること そこに進化、発展がある

あの世とこの世、地球のN極とS極、天と地、男と女、光と影、社会と個人、内と外、陰と陽、幸と不幸…、など万物の成り立ちである。両極を否定して「真ん中」を選ぶのではなく、両極を包括した調和にこそ、最大の進化や発展をもたらすエネルギーがあると思います。

たとえば、欲のひとつである「食欲」は、ありすぎるとメタボになり、なさすぎると病気に苦しみます。「性欲」は、なさすぎると人類は滅亡し、ありあまると性犯罪を生む危険性があります。「睡眠欲」もなさすぎると不眠に、ありすぎても病気になることがわかっています。「金銭欲」も同様に、なさすぎても、またありすぎても、人が離れていくなど共通の苦しみを生みます。

欲は元々、苦しみではなく喜びなのです。両極の「調和」が取れさえすれば、すべての欲は喜びとなるのです。

「こうしたい」と湧きあがる純粋な思いに従って行動し、失敗しても諦めずにやり続けた人は、やがて成功というゴールにたどり着きます。失敗と成功を何度もくり返し、多くの両極を経験することが、本人の器となります。それには、内なる小宇宙の108の欲の調和を図ること。まず自分自身を健康に、幸せにしてあげることが大切です。

皆さんが自分を生きて、最高に幸せな人生を歩めるように…。そんな願いを胸に、私は喜びの種まきを続けていきます。

最高に。幸せに。人生を歩むヒントをお教えします 後編

運まで高める生体ミネラル水との出合い

「多くの人々の幸せな人生に貢献したい」
「未来の子ども達に美しい地球をリレーしたい」
「みんなと喜びを共有し、病気のない安定した社会を実現したい」
そんな熱い思いを胸に、生体ミネラル水『希望の命水』シリーズの普及活動や
人々の意識向上のサポートを続けている本井秀定さん。
宇宙から受けとるビジョンやメッセージを綴ったブログも好評で、
多くの人々にポジティブな影響を与えています。
前号に続く後編として、ご自身が命を救われた『希望の命水』との出合い、
飲むことで運が高まるという生体ミネラル水の魅力、特徴について
具体的に教えていただきました。

（2019年3月号掲載）

生体ミネラル水と人生向上の研究家
本井秀定さん
Hidesada Motoi

運の法則を知って行動すると運を味方にすることができる

誰もが幸せになるために、この世に生を受けています。「あれを手に入れたい」「こんな自分になりたい」というように、夢や目標を胸に抱き、幸せで豊かな人生を願うのは当然です。それなのに多くの人が、望まない苦しみや不幸な現実を生きているのはなぜなのでしょう？

私が30数年にわたり会社を続けてこられたのは、運という目に見えないエネルギーの働きが大きいと思っています。自分の選択を間違えてよくない方向に行きそうになると、不思議と、引き戻されるパターンが多かったのです。

会社を立ちあげた当初、私は数多くの能力開発に関するビデオ教材を販売していました。この教材を学んだ生徒は、全国でざっと百万人を超えるでしょう。それ以外にもさまざまな事業に取り組み、多くの方と出会いました。そうした方を見てきて、病気になったり貧乏になったり、失敗や不幸を経験するパターンには、すべて共通性があると気づきました。「幸せになる考え方」を知らず、行動しなかったというケースが圧倒的なのです。

すべての出来事や現象には、一定の法則性があります。「偶然」や「たまたま」ということはなく、私たちが体験している現実のあらゆることは「必然的現象」だといえます。その宇宙の法則を知らないために、何も行動せず、痛みや苦しみが生じる現象が、必然的に起きてしまっているのです。

願望実現の方法も一定の法則性があり、それを知っていて、宇宙のリズムに沿って生きている人は、思いどおりの現実を引き寄せています。つまり「運がいい人生」を送っているというわけです。願ってもか

なわないのは、その法則を知らないか、もしくは反対のことをしているからです。

運は自分の力では変えられないと考えがちですが、じつはその法則を知り、考え方を変えるだけで、どんどん良い方向に変えられるものなのです。物事をポジティブにとらえられる人は、何が起きても「自分はツイてる！」と思えるし、運を味方につけることができるでしょう。

絶体絶命の危機で届けられた親友医師の霊界からの通信

病気の〝気〟も〝運〟も、目に見えない世界。エネルギーの不調和が原因です。そして貧乏も仕事の失敗も、すべては不調和が原因。ですから整えることができれば、改善するのです。

寝る間も惜しんで働いていた40~50代の頃、私は過信もあり、肉体をかなり酷使していました。とうとうあるとき、体が悲鳴を上げます。慢性化した腫瘍の治療として人工肛門をすすめられ、同時に、糖尿による壊疽も始まっていたため、助かるには右足の大腿部から切断するしかないと宣告されたのです。

絶望に打ちひしがれていたとき、重要なメッセージを受けとりました。数ヵ月前にがんで亡くなった親友の田辺医師が、霊界通信を送ってきたのです。

「すべての病気を治す方法は『水と鉱物と光』である」と。

「真実に違いない！」とピンときた私は、あらゆる水を集めました。そして、知人を通じて届けられたのが、生体ミネラル水（現在製造している『希望の命水』の原型）でした。飲んだ瞬間、全身の細胞にエネルギーが行きわたり、生命力がみなぎるのを感じました。いろいろ調べるうちに、自分の体が深刻なミネラル不足の状態で、それが病気の引き金になっていたこともわかりました。

その生体ミネラル水を飲み続けたことで、60兆個の細胞が活性化したのでしょう。奇跡的に私は手術を受けることなく、健康を取り戻すことができたのです。あの世の親友が導いてくれて命を救われた経験が、私の人生を大きく変えることとなりました。たくさんの人に喜びを与えたいと心から願い、この生体ミネラル水『希望の命水』を世に普及していく活動を始めたのです。

飲むだけで運気も上がり地球からの恩返しがくる

自然界と私たちの命は、連動しています。河川が汚れたら、私たちの血液も汚れます。私たちは地に足をつけて生きていますから、地球からのエネルギーは、命の基盤となっています。

生体ミネラル水は、もともと地球を浄化する水として、1992年の「地球環境サミット」で紹介されました。地球環境をきれいにする役目をもつ水は、当然、私たちの腸内環境もきれいにしてくれます。

地球原始のミネラルが原料で、いってみれば純粋な地球のエキスのようなもの。ですから、それを飲むと当然、自分自身が調和し、地球や自然とも調和するわけです。（P19コラム）。

そして、私たちが飲むことで、循環の法則が働いて地球をきれいにすることになるのです。飲めば飲むほど、地球からの恩返しがきて、運も良くなるというわけです。

運を人に与えれば、自分に戻る運を育て、めぐらせることが大事

喜びの数は無限です。お金やモノと違って、与えれば与えるほど、自分に戻ってきます。運もじつは〝育てる〟ことが大事。人に対する愛情と同様、人に与えるほど運は増えます。回り回って自分のもとに戻ってくるのです。いい形で循環させよう、運を育てようと発想するといいでしょう。

生体ミネラルの特徴として、ネガティブ思考の人とは調和しにくいことがわかっています。『希望の命水』を飲むとき、ポジティブな意識をもつと、それを拡大してくれるのです。健康が目的の人は健康になり、運を高めたい人は強運になり、覚醒したい人は覚醒する、といえるでしょう。

すべての生命体は進化することが目的であり、進化の要因はポジティブであることが基本だからです。一人でも多くの方に、地球や宇宙と調和しながら、自ら運を育てる人生を送っていただきたいと願っています。

人の意識で生命活動が始まる

すべての生命の源はミネラルである

生体ミネラル水開発者のお一人、川田薫博士は「生命とは何か？」を探求される中、根源はミネラルだという答えにたどり着かれました。

実際の実験で、生体ミネラルを希釈した溶液から、生命の源となる原始アミノ酸を発生させることに成功。「ミネラルなしでは、この地球上に生命が発生することはなかった」と結論づけています。

さらにその実験で川田博士は、非常に興味深い発見をします。最初の段階では原始アミノ酸はまったく動かないのに、数日後から動き出して生命活動を始めたのです。それは人の「意識」が働くからで、宇宙に生命体が生まれたのと同じ創造原理が働いているというわけです。

ミネラルは、人体における含有量は微量ですが、身体機能の維持や調整など、生体活動の中心的な働きを担います。ところが、野菜に含まれるミネラル含有量が激減しているなど、現代人のミネラル不足は深刻な状況です。

また、単一ミネラルの過剰摂取は、逆に弊害を起こすことがあり、多種類のミネラルを摂ることで調和して働くのが特長です。私たちが健康に幸せに生きるには、地球上すべてのミネラルが欠かせないのです。

浴槽に30mlで、お風呂あがりにビックリ!

毎日の入浴で、温泉気分!

大人気製品!

『ミネラル鉱泉浴』1ℓ(お風呂33回分〜)
標準小売価格　8,800円(税込)

ミネラル鉱泉浴ってどんなもの?

36種類以上の微量ミネラルを含んだお風呂専用天然ミネラル溶液。

温泉に浸かって気持ち良かったり、健康維持に役立ったりするのは、
そこに含まれているミネラル成分の力!

ミネラルたっぷりの『鉱泉浴』をサッと入れるだけで、自宅のお風呂がまさに日本の名湯に! ゆったり浸かれば至福のひととき!!

香料・着色料無添加。

小さなお子さまから大人まで、安心してお使いになれます。

足湯もおすすめ

洗面器のお湯に鉱泉浴を5mlほど入れて、くるぶしまで浸けて10分ほど(多少ぬるくなってもOK)。

朝これをするだけで、1日の爽快感が違ってきます。

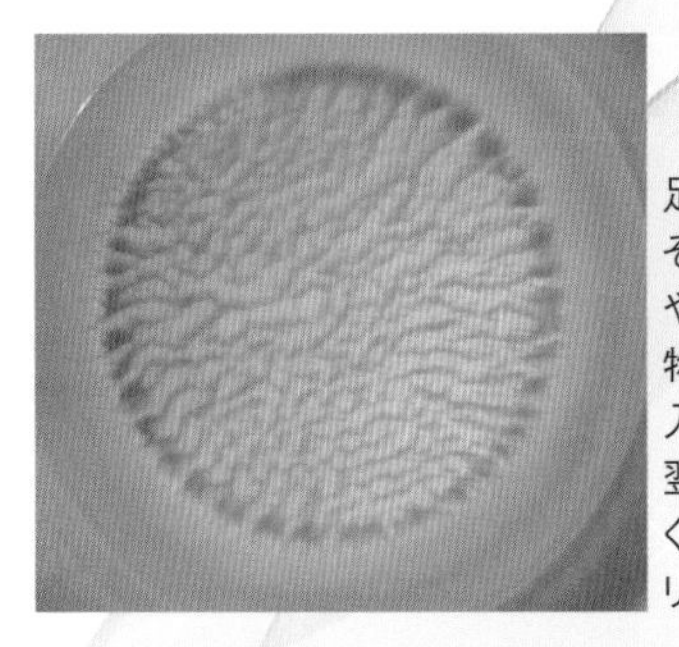

足湯したあとのお湯をそのままにしておくと、やがてこのような沈殿物が…
入浴後も一晩おいて、翌朝浴槽の底をご覧ください。きっとビックリされますよ!

●ご愛用者のお声●

体の芯からポカポカして、朝までグッスリ!

こんなの久しぶりです。寒い冬にはもう手放せません。

宮城県 60代 女性

すごく汗が出るので、体が中からキレイになっていくようです。お肌もスベスベしてきたみたい!
東京都 30代 女性

『鉱泉浴』のお風呂でたっぷり汗をかくと、風呂あがりがスッキリさわやか! 体臭を気にしている私には夏も欠かせません。
兵庫県 50代 男性

翌朝お風呂の残り湯の底を見たら、すごい汚れがいっぱい!! これが体の中に溜まっていたの?…と思ったら、ぞっとしました。これから毎日続けてみます!
福岡県 20代 女性

●鉱泉浴 Q & A●

Q『鉱泉浴』を入れたらほんの少しお湯の色が変わったのですが?
A 水道水に含まれる塩素などとミネラルが結びついた結果です。むしろ安心してお入りください。

Q どれくらい浸かったらいいの?
A じんわり汗がでてくるまで、温泉のようにゆったり浸かってください(10〜15分程度。お湯はそれほど熱くしなくても大丈夫!)。

Q 誰でも使えますか?
A どなたでももちろんOKですが、敏感肌の方、お肌にトラブルのある方は、薄めからお試しください(浴槽に5ml程度)。

Q 濃いめにして入ってもいいの?
A 上記ご心配のない方なら60ml程度入れていただくと、お湯が濃厚になり、汗もどっと出てきて湯あがりの心地よさは格別です。

製品発売元
株式会社JES(ジェイイーエス)

164-0003東京都中野区東中野3-8-13　MSRビル7F
TEL:0120-998-711　Mail:contact@j-smc.co.jp

←『ミネラル鉱泉浴』の詳しい説明はこちらから。
※開いてからPC版にすると、さらに詳しくご覧になれます。

「光と水とミネラル」が織りなす宇宙の調和

“令和”時代の浄化と進化を促す生体ミネラル水

健康維持に欠かせないミネラルをイオン化抽出している生体ミネラル水『希望の命水』。ナノレベルから細胞に働きかけて、心身のバランスを整える“いのちの水”として多くの方に支持され、ストレス社会における救世主ともいわれています。生体ミネラル水によって救われた本井秀定さんは、自らの使命として、ミネラルを核とする商品開発や普及活動に務め、人々の意識向上のための情報発信に尽力されています。「これを飲み続けることは、自分が良くなるだけでなく人類と地球の進化に貢献することにもなる」という本井さんに、ミネラルの重要性について詳しく伺いました。

（2019年6月号掲載）

生体ミネラル水と
人生向上の研究家
本井秀定さん
Hidesada Motoi

「水・光・ミネラル」の三位一体が全生命の進化を司る

私がこの生体ミネラル水に出合ったのは、12年前、病に倒れたとき。心身がボロボロで、希望を見失いかけた中、癒しに重要なのは「光と水とミネラル（鉱物）だ」というインスピレーションを受けとりました。

この三位一体が、大宇宙、地球、人間を含むあらゆる生命の大元であり、体と心と魂を本来の調和のとれた状態に戻すもの、というイメージ。

あらゆる水を集めたところ、生体ミネラル水に出合えたのですが、運命的なものを感じました。おかげで立ち直れた私は、『希望の命水』と名前をつけ、この素晴らしさを伝え始めました。この地球と人類の進化に貢献したい、という湧きあがる思いに突き動かされての行動です。

では「光と水とミネラル」とは何なのか、簡単にご説明しましょう。

すべてのものがそうであるように、「光と水とミネラル」も、目に見える物質としての要素と、目に見えないエネルギー（波）としての要素があります。光は、ものすごいスピードで伝播するエネルギーでもあり、霊的な光、霊光でもあります。

水には、江本勝さんの著書『水からの伝言』（波動教育社）でも知られているように、情報の記録と伝達という働きがあります。

ミネラル（鉱物）については、パワーストーンを身につけたり、クリスタルでの場の浄化などの効果は、すでにご存知でしょう。

大いなる宇宙や地球、また、あらゆる生命も、「水・光・ミネラル」で成り立っているということ。そしてそれらは、宇宙を含むすべてのものの進化・成長も司っています。

浄化なくして進化はありえない

『希望の命水』は、「水・光・ミネラル」のトライアングルの作用で、スパイラル（らせん）状に強力なエネルギーが循環します。ものすごい勢いでエネルギーが増していくことで、浄化が起こると同時に進化も起こるのです。

ミネラルとは？

ミネラルとは日本語に訳せば「鉱物」。地球上に存在する百十数種類の元素のうち、酸素・炭素・水素・窒素を除くすべてが、広い意味で「ミネラル」です。ミネラルはいわば地球そのもの。人間の体内に存在するミネラルはわずか4％と少量ですが、これこそが生命の核であり、あらゆる栄養素の中心です。これなしに生命の維持はあり得ません。ミネラル＝鉱物＝石。「石」は「意思」をもちます。天然石から霊的エネルギーが感じられるのは、じつはミネラルそのものがもつエネルギーであり意思なのです。

浄化なくして進化はありません。これは、大宇宙の生々流転の絶対法則です。宇宙も地球も人間も、このエネルギーの法則が成り立ちます。私たちの肉体が、古い細胞を脱ぎ捨て、新しい細胞に生まれ変わるように、生命体である地球も、新陳代謝をくり返しながら成長しています。

内側に溜まったエネルギーを解放すべく、大地が動く。それにより地殻変動や地震、火山の噴火が起こります。

宇宙に生かされていることに感謝すれば、進化過程の地球の浄化作用が、自然の摂理だという理解も、自然と生まれてくるでしょう。

私たちの魂が求めるのは、愛、平和、調和、優しさ、やすらぎで、それはすべての人に共通します。

大いなる宇宙のリズムの中で生かされ、"調和による真の喜び"を体験することが魂の望みです。つまり、**魂の進化とは"宇宙と一体になる"ことなのです。**なぜなら、宇宙そのものが愛であり、平和であり、調和、優しさ、やすらぎであるからです。

「光・水・ミネラル」三位一体の上昇スパイラル

光と水とミネラルによってすべてのものが成り立ち、エネルギーの循環が浄化と進化を促す。

調和で成り立つ4%のミネラルがすべてのものを調和に導く

ミネラルは、人体での含有量はわずかですが、ほかの栄養素の吸収をサポートしたり、さまざまな酵素の働きを助けるなど、生命活動の中心的な働きを担っています。

体内で栄養素のバランスがとれるのは、さまざまな栄養素の吸収を助けるミネラルの活躍があってこそ。ミネラルはいわば五大栄養素の核ともいうべきものなのです。（右図）

また、ミネラルは単独ではなく、チームで働くのが面白いところ。逆に何か1種類だけを単体で過剰に摂取してしまうと、むしろ毒になることもあるのです。ミネラルの世界でエゴはありえない。調和が何より大切だというわけです。

『希望の命水』は、健康維持に必要とされる必須ミネラルはもちろん、それ以外の微量・超微量ミネラルまで、多種を含んでいる点で非常に優秀です。それが体内に入ると、全ミネラルがおたがいに協力しあい、身体の約60兆個の細胞をサポートしていくわけです。

また、体内に摂り込まれた添加物や農薬などの有害物質を体外に排出するには、肝臓や酵素が活発に働く必要がありますが、この点でもミネラルは必要不可欠です。

ミネラルは体内では作れないので、食べ物から摂取するしかありません。

しかし、農薬や化学肥料を使った見た目にきれいな野菜を作る、大量生産方式の農業により、野菜のミネラルが減少し、さらに添加物の多い加工食品が、体内のミネラル不足を増長しているというのが現実。ミネラル失調が、現代人のさまざまな体調不良の遠因といわれています。

ミネラルは5大栄養素の核

たんぱく質　炭水化物　ミネラル　脂質　ビタミン

筋肉など体を作る「たんぱく質」と、体を動かすエネルギーになる「炭水化物」や「脂質」、体の調子を整える「ビタミン」の4つの栄養素は、「ミネラル」が十分に摂取されていないと効果を発揮しない。

松果体を活性し、魂の進化をサポートする生体ミネラル

人の肉体を小宇宙と表現するとおり、私たち人間は、宇宙のリズムとシンクロしていることを、さまざまな数値の一致が示しています（右囲み）。私たちは、ほかの生命体や、地球と調和を取りながら浄化し、生々流転をしていくのが本来の姿です。

ところが人類は、自然界で唯一、

人の体は小宇宙
数字に見る宇宙と人間とのシンクロ

私たち人間は、大宇宙と連動したリズムを持ち、生かされています。人の体が小宇宙であることを、さまざまな数字のシンクロから見てとることができます。

- 地球は太陽の周りを365日かけて周る
- 人間の基礎体温は36.5度（比熱容量）
- 人間の体にあるツボの数は365箇所（穴）
- 1分間の脈拍は36.5×2（陰陽の二極）＝73前後
- 血液のpHは7.3前後
- 1分間の呼吸数は36.5÷2＝18前後
- 人間の呼吸数と海の波の数が一致＝1分間で18回
- 地球表面の海の割合は全体の70%＝人間の体の水分は70%
- 女性の月経の周期は月のサイクルと連動＝28日から30日の1ヵ月毎

不均衡を招いている存在です。地球上で好き勝手をして、同胞の命を奪い、環境を破壊してきたという事実。

宇宙も自然界も調和で成り立つ中、人間だけがエゴのために法則から外れ、結果的にあらゆる問題を抱えてしまっているわけです。宇宙全体との調和なくして進化はありません。

生体ミネラル水は、数億年前に海から隆起した岩からミネラルを取り出した〝地球のエキス〟ともいえるもの。これを飲むことで、本来のバランスのとれた心身の状態に整えることはもちろん、おのずと地球との調和がとれて、あらゆる生命や宇宙とも共鳴し調和へと導いてくれます。

心身のバランスが取れると、宇宙と地球との共鳴も密になります。**松果体が活性され、インスピレーションを受けとりやすくなる、運が良くなる、危険を察知する力が強くなる、というように、魂の進化をサポート**してくれるのです。

新たなる〝令和〟の時代とは――。一人ひとりの個性を大切にしながら、おたがいを生かしあい、美しいハーモニーを世界へ広げていく、そんな時代だと思います。まさにナノレベルのミネラルの働きと共通です。

一人でも多くの方が、生体ミネラル水の恩恵を受けて、ご自身を光り輝かせるとともに、手を取りあい、地球の浄化と進化に貢献してくださることが、私の喜びであり願いです。

生命を生み出した太古の海

生体ミネラル水は、数億年前に海から隆起した黒雲母花こう斑岩を、食用酸でイオン化抽出し、十数工程のろ過を経てできあがった濃縮ミネラル水。原始の地球では、塩酸や硫酸などの強力な酸を含む雨が、大地のミネラル分を溶かし、その水が集まって、太古の海を作り出しました。そして、多くのミネラルを含むこの海から最初の生命が誕生したのです。まさにミネラルこそが生命の源、そして栄養素の根幹をなすものです。私たちが健康に幸せに生きるには、多種類のミネラルを摂取することが大切です。食物で摂取することは大変ですが、生体ミネラル水『希望の命水』ならば、36種類以上のミネラルと微量元素を、体に即吸収される状態で摂ることができるため、全身の細胞に速やかに行きわたり、体のミネラルバランスを整えます。

小さな生き物は調和の中で生きている

―アリが避けて通る飴？―

かつてアリが避けて通る飴の画像が話題になった事があります。それはシュガーフリーの飴の広告 。「アリが避けて通るのは砂糖を使っていないからです。だからダイエット中の方や糖分を制限されている方でも安心して召し上がれます！」と言いたいのでしょう。

でもアリが避けるのは本当に砂糖だけの問題なのか？実際に公園のアリで検証したところ驚きの結果が！

小さな生き物たちは自らの生命を守るために、何が必要で何が不要かを見極める力を持っています。与えられた命を最大限に活かすために何をすればいいかが分かっているのです。言わば地球との調和の中で生きていると言ってもいいでしょう。

ところが私たち人間は、何でも手軽に手に入る便利な生活と引き換えに、その能力をすっかり失ってしまっているのでは…

衝撃の映像はこちらから！▶

いいものをギュッと1粒に！
アリも認めた!?
からだニコニコ飴

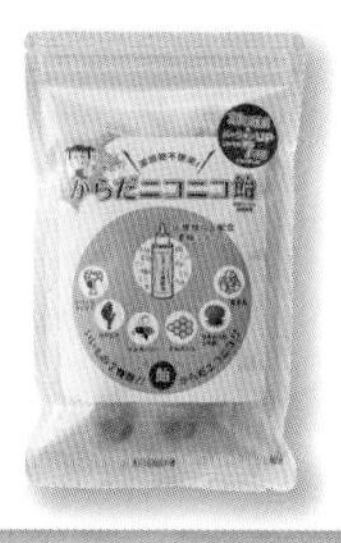

新連載
いのちの礎

地球とともに光の次元へ上昇するために

ガイアのエッセンスから生まれた 奇跡の水

生体ミネラル水と
人生向上の研究家
本井秀定さん

Profile

もといひでさだ◎生体ミネラルを取り扱う、株式会社JES他4社の最高経営責任者。元・東放学園「マネージメント論」講師。「記憶法」「速読法」「α波ミュージック」「集中力呼吸法」などの能力開発プログラムを企画開発。通教生徒数実績が延べ60万名。経営、哲学、環境、健康、精神世界を問わず、あらゆるジャンルからの相談も後を絶たない。「真実・希望・喜び」をテーマにしたブログは、1日最高20万アクセスを誇る。幼少時からの臨死体験、宇宙からのコンタクト、東日本大震災の予知など、実業家には珍しくスピリチュアルな一面を持つ。
https://j-smc.co.jp/

次元上昇、アセンションを遂げようと思ったとき、
心がけなければならないこと。
それは、波動の高まった新たな地球の
周波数と一致すること、といえるかもしれません。
地球の意識体である母なるガイアは、
人類よりひと足先に次元上昇を始め、
私たち子どもが追いつくのを待っています。
そして、次元や波動を上げるために大切なのは、
魂を地球にアンカリングしてくれている
肉体を健やかに保ち、
それを光の体〝ライトボディ〟に変えていくこと。
そのために重要な働きをしてくれるのが、
母なる大地のエッセンスである「ミネラル」なのです。
またミネラルは、コロナウィルスで注目をあつめる
「免疫力」を高めるために欠かせない、
まさに〝いのちの礎〟。
生体ミネラル水の研究家、本井秀定さんに
いまこそ知っておきたいミネラルについて、
お話しいただきます。
——編集長
（2020年5月号掲載）

霊界から医師のメッセージが降りてきた

私たちはこの地球（ガイア）という星にいったい、何のために生まれてきたのでしょうか。それは間違いなく幸せになるためです。しかし、自分一人が幸せになればいいということではなく、周囲の人が幸せを感じたときに初めて、私たちは本当の幸せを実感できます。

こんな当たり前なことを心底感じられるようになるまで、私自身、さまざまな紆余曲折を経てきました。不思議な霊体験が何度もあり、見えない存在に救われることが多かったように感じています。

なかでも人生の大きな転機となったのは、生体ミネラル水『希望の命水』との出合いでした。

若い頃は仕事に没頭し、テレビから取材を受けるほどかなりのお金を稼いだ時期もありました。「お金があればなんでも手に入る」と思いこみ、「自分さえよければいい」という傲慢な考え方で生きていた時代でした。

そして40～50代になると、それまでの無理がたたり、体が悲鳴をあげ始めたのです。2007年には、慢性化した痔ろうを治療するために、主治医からは人工肛門をすすめられました。それと同時に、糖尿病による壊疽（えそ）が始まり、右足大腿部から切断するしかないとの宣告。もう人生終わったな、と思いました。

そんなある日、親友であった故・田辺信次医師が、霊界からメッセージを送ってくれたのです。

「本井さん、希望をもつんだ！ 決して諦めちゃいけない。君には人の苦しみを取り除く使命があるんだ！ **すべての病気を取り除く方法は、光と水と鉱物だ**」。

これは真実だと直感し、あらゆる水を集め始めました。そして現在、わが社の顧問医師である沼田光生先生から「本井さん、これを飲むといいよ」と渡されたのが生体ミネラル水（『希望の命水』の原型）だったのです。

エネルギーが全身の細胞をめぐった

いろいろ調べるうちにわかったのですが、当時の私の体は、添加物の摂り過ぎで深刻なミネラル不足の状態だったのです。そうした背景があったせいか、飲んだ瞬間、エネルギーが全身の細胞をめぐり、生命力が蘇るのを実感したのです。患部に生体ミネラル水を当てて数日過ごしたら、真っ黒い血が流れた後に、きれいにピーリングされた皮膚が下から生まれていて、再生医療の最先端

ヘタな鉄砲も数撃ちゃ当たる
ミネラルと酵素は鍵と鍵穴の関係

「すべての不快感、疾患、病気の元をたどるとミネラル欠乏にたどり着きます」

これは、世界でただ一人、単独でノーベル賞を2度も受賞したアメリカの化学者ライナス・ポーリング博士の言葉です。この言葉からも、私たちの健康にとって、どれだけミネラルが大事なものかがわかります。

また、私たちが生命を維持するには、酵素の働きが必要不可欠です。酵素は体内のさまざまな代謝機能を正常に働かせるからです。たとえば、基礎代謝（生命を維持するために必要な最小のエネルギー）、新陳代謝（古いものから新しいものへの入れ替え。髪や爪など）、そして排便などをスムーズに行わせるには、酵素が欠かせません。

さらに、この酵素がうまく働くためには、各酵素が必要とするミネラルが必要になります。つまり、ミネラルと酵素は鍵と鍵穴の関係にもたとえられます。たとえば、亜鉛を必要とする酵素の場合、鉄が来ても働きません。亜鉛が来て初めて活動するというわけです。

こうした作用を化学的には触媒作用といいます。体内には数千種類の酵素があり、それぞれに必要な鍵と鍵穴の関係があるため、常に適量かつ多種類のミネラルを摂取することが、健康維持における大きなポイントといえるのです。

を見させてもらったような気がしたのです。

そうして、生体ミネラル水を摂り続けた結果、すべての細胞が活性化したのでしょう。奇跡のような出来事が起こりました。あれだけ絶望視していた患部が見事に生まれ変わり、一度も手術を受けることなく、元通りの状態になることができたのです。

そこで、たくさんの人にこの喜びを伝えたいと願い、２００８年に生体ミネラル水『希望の命水』を発売開始。「病気のない社会」を柱に活動を始めました。

酵素とミネラルで絶望的な体が甦った

絶望的な状態であった私の体が、生体ミネラル水によって元通りになったのは、次のような理由があります。

まず、一般的なミネラルというのは、次の16種類の元素を指し、これらは必須ミネラルと呼ばれています。

●主要ミネラル（7種類）…カルシウム・リン・カリウム・硫黄・塩素・ナトリウム・マグネシウム。

●微量ミネラル（9種類）…鉄・亜鉛・銅・マンガン・クロム・ヨウ素・セレン・モリブデン・コバルト。

この違いを簡単にいえば、主要ミネラルは「水に溶けやすいミネラル」、微量ミネラルは「水に溶けにくいミネラル」を指します。

つまり「主要ミネラル」は比較的摂取しやすいですが、「微量ミネラル」はそもそも水に溶けないので、現代人は特に、ほとんど摂取できなくなりました。

このようにさまざまな元素から成るミネラルですが、体の代謝などの生理作用を調整し、細胞や神経、筋肉などの機能を正常に保つ働きがあります。そして、ミネラルは体内でつくることができないため、外部からバランスよく適量を摂りこまないと、体に支障をきたしてしまうのです。

酵素を働かせるには多種類のミネラルが必要

私たちの体が健康を維持できるのは、日々さまざまな代謝がなされているから。そして、こうした代謝に関わる基本物質が「酵素」であり、この酵素の働きに関わるのがミネラルなのです（上の囲み）。

体内の酵素は数千種類あり、正常に働くために、亜鉛が必要なもの、鉄が必要なもの、カルシウムとマグネシウムの両方が必要なものなど、さまざまなタイプがあります。

こうした酵素をバランスよく働かせるためには、多種類のミネラルを適量、摂取する必要があります。摂取量が少なかったり、単一元素のものしか摂り入れなかったりした場合も、体に支障をきたしてしまうからです（左記囲み参照）。

生体ミネラル水『希望の命水』の場合は、前述の必須ミネラルと合わせて、36種類以上のミネラルや微量元素をバランスよく含有しています。

鉱物ミネラルは地球の元素を含んでいる

ひと口にミネラルといっても、何から抽出したかによって、「鉱物ミネラル」と「植物ミネラル」に分けられます。現在、私たちが扱っている生体ミネラル水は、数億年前に隆起した黒雲母花こう斑岩を食用酸でイオン化抽出してつくられる「鉱物ミネラル」によるものです。

ミネラルの語源は、ギリシャ語のMinera（ミネーラ）。鉱山や鉱物を意味します。つまり、もともとミネラルとは、鉱物に由来しているのです。

一方の「植物ミネラル」は、植物が根から根酸を出して鉱物を溶かし、土中のさまざまなバクテリアの力を借りながら、鉱物の中から必要なミネラルだけを吸収したもののことをいいます。鉱物からイオン化抽出する技術がなかった時代には、石灰岩や焼いた牡蠣（かき）の殻をすり潰した粉末だったので、鉱物ミネラルよりも植物ミネラルの粒子のほうがコロイド状で小さく、体に吸収されやすいと考えられていました。

けれども、現代は、ミネラルのサイズはコロイド状よりもイオン抽出化された鉱物ミネラルのほうが圧倒的に小さいのです。

また、植物ミネラルの場合は、ほうれん草は鉄が多く、茶葉はマンガンが多いというように、それぞれの植物によって吸収するミネラルの元素が異なります。そのため、植物ミネラルは偏った元素を摂取することになります。それに比べると、**鉱物ミネラルは地球の元素をまんべんな**

単一ミネラルの過剰摂取は老化の原因!?

ミネラルは、単一元素のものを過剰に摂取すると、体内のミネラルバランスが崩れ、体に支障をきたすことが確認されています。

たとえば鉄の場合。貧血や慢性疲労などに悩む女性の場合、鉄分が不足していると考えて、積極的に鉄のサプリメントを摂ることがあります。しばらく飲んでも改善されないため、さらに多量に摂ったとします。すると、どのようなことが起こるでしょうか。

ご存じのとおり、鉄は水や酸素に触れると、錆びるという性質があります。そのため、体内で酸化現象が起きてしまうというわけです。それに伴い、活性酸素も増殖します。すると、シミやシワが増えて老化が進んでしまいます。

また「カルシウム・パラドックス」という言葉がありますが、これも同じような現象を指しています。イライラの緩和や骨や歯を強化するために、カルシウムのサプリメントだけを摂取しすぎると、キレやすくなったり、歯や骨がもろくなったりしてしまうこともあります。

こうした現象を防ぐためにも、多種類のバランスの取れたミネラル摂取が不可欠となります。

鉄

ミネラルは
摂っていたのに…。

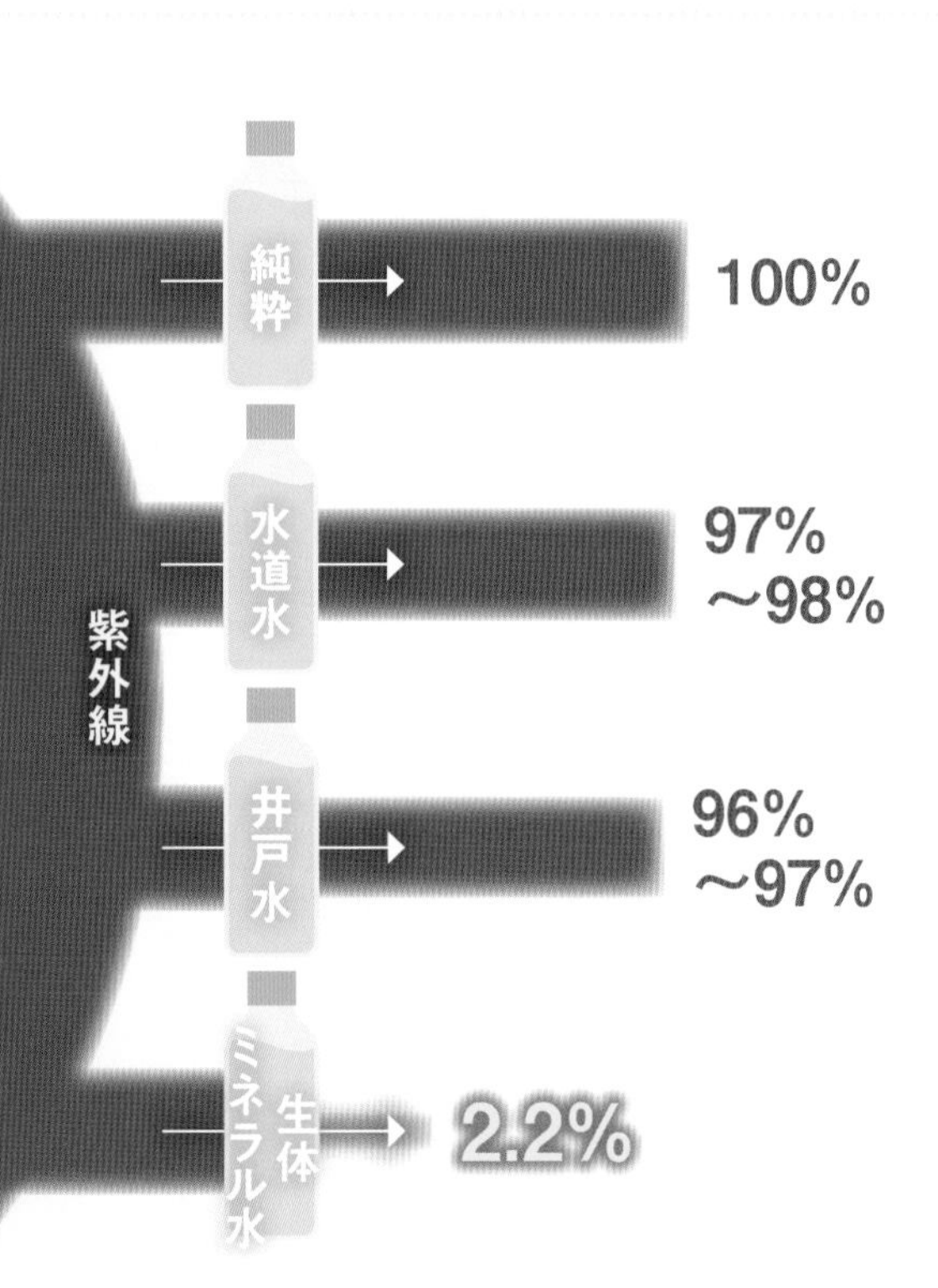

Lesson 3

ミネラルはバランスよく摂取する必要性がある

生体ミネラルは地球のエキス

もともとの鉱物ミネラルは、鉱物や焼いた牡蠣の殻を粉砕して粉末にしたものでした。

現在は技術が進み、鉱物を食用酸でイオン化抽出し、多種類のミネラルを微細なナノ単位の粒子となった状態で摂取できるようになっています。多種類のミネラルをバランスよく摂取する必要性は、単一ミネラルの過剰摂取を防ぐためだけではありません。

そもそもどのミネラルも単体ではなく、他のミネラルとチームを組むことで初めて体内で有効に働くのです。（※右図参照）この点でもミネラルは多種類をバランスよく摂取することが重要なのです。

鉱物から抽出した生体ミネラルは、いわば丸ごと絞った地球のエキス。

この地球上で生きるあらゆる生命にとって、欠かすことの出来ないものなのです。

く含んでいるため、さまざまな元素をまんべんなく摂ることができるという特徴があるのです。

生体ミネラルはどれだけ小さいかといいますと、現在は、食用酸でイオン化抽出する技術があるために、鉱物ミネラルでも粒子のサイズは約20オングストローム（＝2nm／ナノメートル）。1nmが100万分の1mmなので、どれだけ微細な粒子になっているかがわかるでしょう。

ミネラルを摂取する際は「より粒子が小さいこと」「より多種類であること」がポイントとなり、生体ミネラル水はこのどちらも満たしています。

次回はミネラルの働きと5次元の世界の関連についてお届けしたいと思います。

希望の命水

生体ミネラル水は、数億年前に海から隆起した黒雲母花こう斑岩を、食用酸でイオン化抽出し、14もの工程のろ過を経てできあがった濃縮ミネラル水。原始の地球では塩酸や硫酸などの強力な酸を含む雨が大地のミネラル分を溶かし、その水が集まって、太古の海をつくり出しました。この多くのミネラルを含んだ海から、最初の生命が誕生したのです。

飲用以外にも！　その1
お料理の下ごしらえに使えば、素材の美味しさアップ！　農薬・添加物が気になる方も！

ミネラルの含有量がまったく違う

紫外透過率の実験

市販のミネラルウォーターと生体ミネラル水を見た目だけで比べると、透明でまったく同じに見えます。けれども、そこに含まれるミネラル含有量はまったく違います。その違いがわかるのが、この紫外線透過率の実験です。

純水といわれる、まったく混じり気のない水に紫外線を通した場合、どのくらいの紫外線が透過するのかを調べました。

すると、純水は紫外線透過率100%。有害な紫外線はすべて通過してしまいました。ミネラルが豊富とされている井戸水でも、97%通過。塩素などが入っている水道水は98%の透過率。

ところが生体ミネラル水の場合は、なんと透過率2.2%。つまり、97.8%の紫外線は通さないという結果が出たのです。

これには検査技師が驚いて、機械が壊れたのかと思ったほど。しかし、何度計測しても、純水は100%透過し、生体ミネラル水は2.2%しか透過しなかった。同じような水に見えても、これほどまでの差があるのです。

連載第2回
いのちの礎

地球とともに光の次元へ上昇するために

生体ミネラル水を体に取り入れて 5次元の世界へ

5次元上昇の波に乗ることを願っている方は多いはずです。
人間の体は小宇宙であり、地球、
そして宇宙へとつながっています。
そして、その大いなる存在と一体化するには、
体のバランスを整えることが大切です。
そこで大事にしたいのが、生体ミネラル水。
生体ミネラル水がもつ調和、愛の力をとり入れながら、
自分自身の体を整え、
地球そのものの調和をはかっていきましょう。
そうした先に、5次元の世界が現れてくるのです。
生体ミネラル水の研究家、
本井秀定さんにお話を伺いたしました。
(2020年7月号掲載)

生体ミネラル水と
人生向上の研究家
本井秀定さん

ミネラルは農添化を調和に導く

前回お話ししたように、私の体は悲鳴を上げていました。原因はわかっていました。ストレスからくる暴飲暴食、接待漬けの毎日、不規則な生活。さらに「食べたもので体はつくられる」ということを頭ではわかっていながら、添加物(化学調味料)の入ったものを好んで食べていました。それは幼少時からの食習慣に原因がありました。

当時の我が家では、「アミノ酸は体にいい」と信じていて、体の弱かった私を心配した母は、兄弟の中でも特に私の食事にはたくさんの化学調味料を振りかけてくれたのです。味噌汁やおかずはもちろんのこと、信じられないかもしれませんが、なんとご飯にまで…。

幼い頃から大量にアミノ酸に慣れ親しんでしまったため、私は化学調味料の入っていない食事では満足できず、味覚も鈍感になり、脂っぽいものや濃い味を好むようになっていました。完全に添加物(化学調味料)の中毒だったのでしょう。

その結果はすでに学生時代から、体の不調として現れ始めました。

それまで大好きだったカップ麺を食べると、必ず下痢をするようになったのです。(※P29囲みの体験談のひとつはじつは私です。)

「食べたもので体はつくられる」と言えば、かつて九州の養豚業者での衝撃的な出来事が報道されたことがありました(西日本新聞 平成16年3月19日)。その養豚業者は、エサ代を節約するために、コンビニ店主と相談して廃棄弁当を格安で引き取り豚に与えたのです。そうして弁当を与え続けて数ヵ月後、子豚の出産時期を迎えたときに、奇形豚の出産や死産が相次いだのです。

エサ以外に変えたものは何もなかったということですから、弁当に含まれる成分が何かしらの影響を与えたのではないかと容易に想像がつきます。そうはいっても、私たちはもはや添加物はもちろん、農薬や化学物質と無縁で生きることは不可能でしょう(以下、農添化と略す)。

ところがこの避けることのできない農添化を調和に導くのが生体ミネラルのキレート反応なのです(P29囲み)。キレートとは、「カニの爪」という意味です。ミネラルがカニの爪に挟みこまれるかのように、さまざまな物質と結びつき大きな粒子となって体に吸収されにくい状態をつくってくれます。農添化との調和のためにミネラルが犠牲になってくれるのです。

また、体内でミネラルが偏っている場合も、ほかのミネラルがそれに

目に見える形で確認！ キレート反応とは？

外食のデリバリーや加工食品などを食べる機会が増える昨今。生体ミネラルの愛飲者から「外食・中食（コンビニ食など）だと、すぐに体調を崩すのですが、それでも食べなければならないときに、生体ミネラルをかけると、食べた後がとても楽なのです」「カップ麺を食べるとすぐ下痢をするのに、生体ミネラルを入れて食べると下痢をしない」という声が聞かれるそう。
なぜこうしたことが起きるのでしょうか？
これについて「なるほど！」とイメージできる実験を紹介します。

生体ミネラルと化学調味料

①コップにぬるま湯を用意し、その中に化学調味料を入れてよくかき混ぜる（比較のため同じものを２つ用意）。そして左のコップの中に生体ミネラルを30ml入れて軽くかき混ぜる。

②左のコップのぬるま湯は瞬時に黄色く変色し、その後に白く濁り始める。濁るのは水の中に溶けこんだものの粒子が大きくなっている結果といえる。

「生体ミネラルがあると楽」「カップ麺を食べても下痢をしない」は、生体ミネラルと結びつくことによって、化学調味料や添加物などの粒子が大きくなり、体に吸収されにくくなった結果ではないかと考えられます。

くっついて自らを犠牲にしながら、調和をとってくれます。まさにミネラルは自己犠牲の精神をもった愛そのものであるといえるでしょう。

さらにミネラルは「我が我が」と「が」をはらず、みんなで手を取りあい、「おかげおかげ」の「げ」を大切にしたチームで働きます。江戸時代の曹洞宗の僧侶であり、歌人や書家としても有名な良寛和尚の「我が我がの我を捨てて、お蔭お蔭の下で暮らす」という言葉の表れ（P30囲み）でもあると感じています。

科学技術と意識の正反合で新たな次元に昇華する

ミネラルの「自らを犠牲にし、全体の調和のために働く」という姿勢は、5次元の中でいう一体化、自他同一の心境と同じ世界観になります。

スピリチュアルの世界ではよく「アセンション（次元上昇）」という言葉が使われます。

現在、人類はインターネットなどの普及から、時空を超えたコミュニケーションがとれるようになっています。つまりすでに4次元の世界に入っているということですね。

さらにそこからアセンションすると5次元に入ることになりますが、いまの状況から自他同一の世界にいきなりスライドするのは、なかなか難しい。経済や政治の在り方を見ても、まだまだ「自分さえよければ」の意識が強いですから。

もともと経済というのは、「經世濟民」という本質を持っています（P31囲み）。これを訳すと「世を經め、民を濟う」。金儲けするためではなく、社会や人々のために働くというのが、本来の経済の意味だったのです。

このような状態となる5次元に移行するには、ある程度の過渡期が必要だと考えています。これからはAI（人工知能）の時代といわれていますが、陰陽の2つの側面が現われるでしょう。

ひとつは、自動車やロボットの機械化が進み、5Gという第5世代の移動通信システムが確立され、最先端の科学技術がさらに進んでいきます。もうひとつは、やはり愛なのです。科学技術の進化と同時に、よりスピリチュアルに、地球の意識と一体化していくような愛の感覚。

こうした両極が存在する時代に入っていき、二極化が起こるでしょう。AIに重きを置く人たちからは、愛を大切にする人たちは時代遅れに見えるかもしれません。また、愛や徳を重んじる人たちからは、AI側にいった人たちは機械に溺れ、堕落した人に見えるでしょう。

こうした両極の世界を経て、初め

感謝や謙遜の本当の意味を知り「が」を捨てて「げ」で生きる

数年前、親しい社長どうしの食事会で「我が我がの我を捨てて、お蔭お蔭の下で暮らす」という言葉の話題になりました。これは曹洞宗の良寛和尚の言葉ですが、「われがわれがのがをすてて、おかげおかげのげでくらす」と、頭の中で何度かくり返して読むと、この言葉がもつパワーを感じられるのではないでしょうか。

人は、自分一人で生まれてきたわけではありません。両親、先祖という肉体の縁があってこそです。もし、いっさいお世話してもらえなかったら？　もし、危険なことをしても叱られなかったら？　もし、病気のときに看病してもらえなかったら？　自分の親、そのまた上の親を「もし」で考えると、自分がこうして生きていることは奇跡。まさに感謝、お蔭さまです。

肉親以外でも、友人、職場の仲間、近所の方、病院の方、スーパーの方、ごみ収集車の方、農業の方、漁業の方、製造業の方など、数えたらきりがないほど、自分の一人の命を支えるために多くの方が働いてくれています。

ミネラルがたがいに助けあって体を調和してくれているのと同様に、私たちも社会の中で多くの人たちの力によって生かされています。人が生きるうえで大切なことを、ミネラルは身をもって示してくれているのです。

て本来の進化した姿に行き着くのだと思います。それは正反合の形。つまり、相反するものを統合し、よりよいものを新たに生み出す姿でもあります。

二極化した世界の橋渡しに非常に役立つ生体ミネラル水

5次元の世界へ完全にアセンションするのは、まだ難しいですが「いまの世の中で生活するのは、息苦しくて仕方がない」という人たちが増えています。

アネモネ読者の方の中にも、そういう方はいらっしゃるのではないでしょうか。そういう方々は、本来の在り方に目覚め始めているので、何かしらの違和感を覚えているのだと思います。

こうした両極の世界の橋渡しに、生体ミネラル水は非常に役立ちます。5次元上昇という未来をつくるために、私たちは過去と現在を生きています。けれど、未来はまだ来ていませんね。未来というのは、来てはじめて認識できますから。

その未来をつくることが、私たちの使命だと思っています。未来をつくれるのは、いま。そして、いまを生きる私たちしかいません。生体ミネラル水がもつ調和、そして愛の力をとり入れながら、自分自身の健康を整え、地球そのものの調和を図っていく。そうした先に、心身一如の5次元の世界が現われるのではないかと考えています。

人間の心身の状態が地球環境をつくり出す

鉱物ミネラルからつくられる生体ミネラル水は、いうなれば地球のエキスです。実際に飲み始め、命を救ってもらってからは、地球そのものに常に意識が向けられるようになりました。

この地球を汚せば汚すほど、私たち人間の心身も病に蝕まれていきます。森林を伐採し、コンクリートやアスファルトで舗装したり、農薬をまき散らしたりしたら、地球だってその部分をかきむしりたくなるでしょう。その反映で、アトピーや花粉症などのアレルギーが増えてきたともいえます。

私たち人間の世界で起きていることはすべて原因があり、その結果が目の前の現象として現れている。そのことを地球が、宇宙が、教えてくれているのです。

この地球の状態は、自分自身の延長であると理解できるようになれば、むやみに森林伐採をしたり、農薬をばらまいたりすることもなくなるでしょう。「自分さえよければ」とい

Lesson 3

5次元への過渡期に必要な「經世濟民」という考え方

5次元の過渡期には、AI（人工知能）が台頭し、最先端の科学技術という側面と、愛や徳を重んじる側面の両極が現われる世界になると考えられます。こうした世界で必要とされる経済は、「經世濟民」、つまり「世を經（おさ）め、民を濟（すく）う」という考え方に基づくものになると思っています。

現在のように、自分のお金儲けだけに邁進する経済とは異なり、その本質は、社会や人々のために働くこと。これからの仕事においては、「世の中に貢献するために」「人々の喜びのために」という意識が根底になければ、いずれ崩壊するか、衰退していくでしょう。

一方、お金を稼ぐ＝働くではありません。お金を稼がなくても、私たち一人ひとりはちゃんと働いています。専業主婦の方はもちろん、学生は未来のために勉強という形で働いています。赤ちゃんはかわいい笑顔を周囲にふりまき、家族に生き甲斐や活力を与えるために働いています。

これらを踏まえ、今後必要となるのは、助けあいによる経済活動です。経済的な打撃を受けているお店で物を購入したり、災害の被災地に義援金や救援物資を送ったり、利益をお客さまに還元して喜んでもらったりする行為は、まさに「經世濟民」。周囲の人たち（ハタ）を楽（ラク）にしていく活動こそが、本来の「働く」意味であることを、心していきたいものです。

うことを、やらなくなるわけです。

もともと日本人は、「おかげさま」という意識や、周囲と調和することの素晴らしさ、自然の中に命を見出す謙虚さなどをもっていました。けれどもいまでは、「お金さえ儲かればいい」「いまさえよければいい」「自分さえ幸せであればいい」という感覚が蔓延しています。

こうした状況から脱するためにも、自分の体内環境を整えることで、地球環境を整えるというような意識をもつことが肝要です。

私たちの体は小宇宙でもあるのですから、この体に生体ミネラル水を取りこんだり、ミネラル水を入れたお風呂に使ったりすることで、自分の体を還元していくわけです。

そして、ミネラルを摂り入れた体から排泄されたものは、地球に還元されていきます。地球のエキスである生体ミネラル水を体に摂りこんで体内を浄化し、その排泄物に含まれるミネラルによって、地球も浄化されていく。

こうした流れが大きくなると、こんどは地球から恩返しがくる。それは豊かな土壌なのかもしれないし、温暖な気候、きれいな水なのかもしれません。そんな世界をつくり出すためにも、私たちは生体ミネラル水『希望の命水』を多くの方に飲んでいただきたいと思っています。

次回は、ミネラルが人間の健康だけでなく、地球の環境にもどれだけよい影響を与えるか、ワンネスの時代に向けて必要な情報をお届けします。

希望の命水

生体ミネラル水は、数億年前に海から隆起した黒雲母花こう斑岩を、食用酸でイオン化抽出し、14もの工程のろ過を経てできあがった濃縮ミネラル水。原始の地球では塩酸や硫酸などの強力な酸を含む雨が大地のミネラル分を溶かし、その水が集まって、太古の海をつくり出しました。この多くのミネラルを含んだ海から、最初の生命が誕生したのです。

飲用以外にも！　その2
スプレーで持ち歩いて外食の際にはシューッ!　気持ちよく召し上がれます。

連載第3回
いのちの礎

地球とともに光の次元へ上昇するために

ミネラルを摂って ワンネスの時代への移行

5次元の世界に移行するために、
私たちをサポートしてくれる生体ミネラル水。
宇宙とつながり、ワンネスの意識で生きる世界に向かうために、
地球はその土壌からつくられる生体ミネラル水という形で、
私たちに大いなる愛を差し出してくれています。
地球から送られているその愛を受け取ることで、
私たちの意識や体はどのように変化していくのでしょうか。
生体ミネラル水の研究家、本井秀定さんに
連載第3回目のお話を伺いました。
（2020年9月号掲載）

生体ミネラル水と
人生向上の研究家
本井秀定さん

地球や人間に忍び寄る汚染をミネラルが浄化

地球には浄化作用があります。その浄化作用を司るのは、地球を構成する成分＝ミネラルです。そして黒雲母花崗斑岩から抽出した生体ミネラル水はまさに地球のエキスですから、これにも中和、浄化の働きがあるのです。

1992年にブラジルで第1回地球環境サミットが開催されました。そこでは、化学物質でドロドロに汚染されたブラジル国内の川に、工場排水が流れ込むのを止めて、花崗斑岩を焼成したバーミキュライトを撒いたところ、4ヵ月後には魚が戻ってくるきれいな川になったという実験結果が発表されました。化学物質などで環境がどんどん汚染されていくのと、ミネラルによって浄化されきれいに保たれていくのと、地球はどちらを喜ぶでしょうか。

これと同じことが、私たちの体でもいえます。ミネラルを必要としている体に、化学物質や添加物を体内に取り込んでしまったら、体内の酵素や遺伝子にどのような影響が出てくるでしょうか。川がドロドロに汚染されてしまったように、体にもさまざまな不調が起きることは、容易に想像できると思います。

私たちの体は、化学物質や添加物を必要としていません。けれども、こうした物質を摂り続けると味覚が麻痺してしまい、脳が「美味しい」と誤解してしまいます。甘味料たっぷりの炭酸飲料、化学調味料や添加物にまみれたインスタント食品、ジャンクフードはその代表格です。

いま、日本人の2人に1人は生涯でがんにかかるという統計が、厚生労働省から出ています。当たり前のことかもしれませんが、私たちの体

ミネラルの働きを体感！ピカッと実験

動画はこちら

私たち人間は、電気で動いているのをご存じですか？　立つ、座る、歩く、話す、泣く、笑う、呼吸する……どれも体中の神経に微弱な電気信号が伝わることで、実現しています。私たちの体は、体内に電気が流れない限り、生命活動を維持できないのです。電気が流れる／流れないを目で見てわかるようにしたのが、このピカッと実験です。

＊実験は、個人で行うのは危険ですのでおやめください。

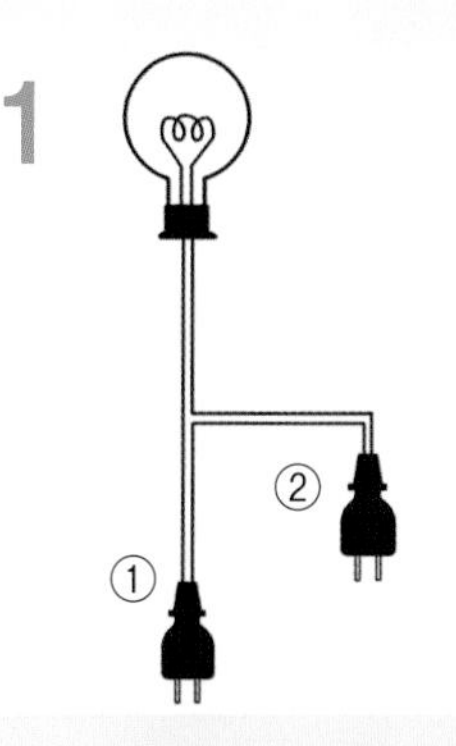

図のような2つのプラグのうち①だけをコンセントに差し込んでも電球は光らない。②がスイッチ役となっており、こちらがつながれば、電気が流れる。

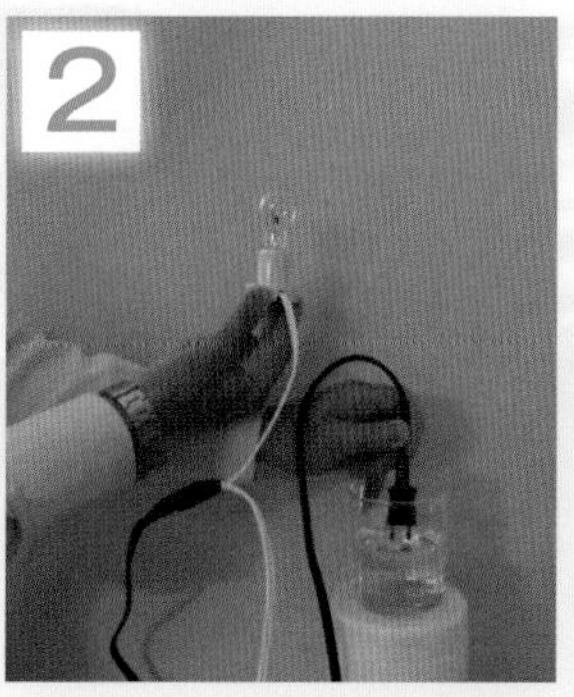

そこで②のプラグを水に入れてみる。だが、電球は光らない。なぜなら、水は電気を通すと思われているが、じつは純粋な水はほとんど電気を通さないからだ。

②のプラグを水に入れたままそこに少量の「生体ミネラル」を加える。すると、かすかに電球が光り始めた。

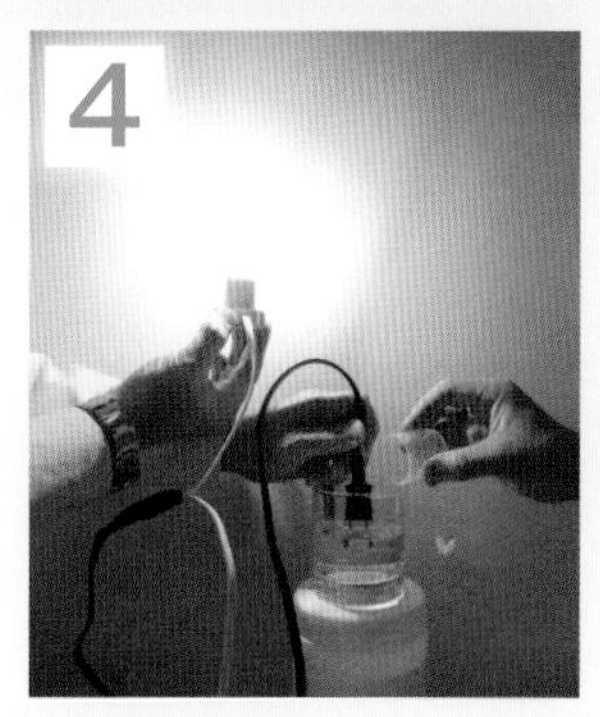

徐々に「生体ミネラル」の量を増やすとともに、電球は輝きを増した。つまり、人体の60～70%は水分といわれるが、それがただの水では電気の流れはきわめて弱く、「生体ミネラル」があって始めて、電気がスムーズに流れることがわかる。

は、自分が食べたものでつくられています。つまり私たちは日々、50%の確率でがんになるかもしれない、そんな時限爆弾のような食材ばかりを食べているといっても過言ではないのです。

そうはいっても、化学物質や農薬や添加物だらけの食材があふれる昨今、外食もせず、すべて手作りした料理だけを食べるのというのも難しい。結局、こうしたものを食べなければならないのは、現代に生活する上で避けられないこと。それならば、余計なものを体内に残さないよう、自ら防御しなくてはなりません。

では、化学物質や添加物を体内に摂り込んでしまったらどうしたらよいのでしょうか。地球に浄化作用があるように、地球のエキスである生体ミネラル水を摂取することで、私たちはまさにその地球の力を摂り入れることができます。

化学物質、農薬、添加物が多く含まれた食品を食べても、生体ミネラル水を一緒に摂ることで、これらを浄化するキレート作用（ミネラルがさまざまな物質と結びつき大きな粒子となって体に吸着されにくい状態を作ること）が起きます。そして、急激な勢いで、体を本来の状態に戻そうとするのです。

このときに酵素が媒体となって働くのですが、酵素はミネラルがないと、百年に一度くらいしか動きません。ところがミネラルが入ると、1秒に7～9万回も動き、ものすごい勢いで活性するわけです。だからこそ、汚染された川同様、私たちの体も本来の状態に保つよう働きかけてくれるのです。

広島や長崎の原爆による放射能汚染も中和

この体がなければ、私たちは地球上で与えられたミッションをはたすことができません。まず大事なのは、自身の健康を守ること。そうでなければ、家族やパートナーなど、愛する人の健康も守ることができないでしょう。

そのためにも、生体ミネラル水をご活用いただけたらと思っています。また、体の中でミネラルがどのように働いているかを体感的に知ることができる実験があります。それは「ピカッと実験」です。

私たちの体内には微量の電気が流れており、それらによって、呼吸する、話す、笑う、歩く、走る、内臓が動くなど、生命活動のすべてが維持されています。「ピカッと実験」では、この電気の流れをミネラルが促してくれていることが目で見てわかりますので参考にしてください（上囲み）。

●放射性物質、ミネラル対応表

放射性物質	対応するミネラル
ストロンチウム90（Sr90）	カルシウム（Cs）
放射性ヨウ素131（I131）	ヨウ素（I）
セシウム137（Cs137）	カリウム（K）

私は以前、放射能研究室に勤めていたことがあります。

残念なことですが、現在、地球上のさまざまな場所が放射能で汚染されています。その対策として「調和のとれたミネラルをなるべく食事で摂り入れてください」とお願いしています。ミネラルの中には放射能に対応しているものがあります（右表）。例えば、ヨウ素（Ｉ）は放射性ヨウ素１３１（Ｉ－１３１）、に対応しており、これらのミネラルを摂っていれば、同属元素となる放射能の進入を防ぐことができるのです。

放射能研究室にいたときに、被ばくしても健康なままでいられる人と、被ば被ばく症を発症して亡くなってしまう人と、その差はどこにあるのかを研究していました。そこでわかったのは、体内にどれだけのミネラルがあるかということでした。それが放射能の体内汚染にも深く関わってきているのです。

さらに、広島や長崎を見てください。当時、原爆を落とされて１００年は雑草すら生えないといわれていました。ところが、3年目くらいから青々とした草花が茂ったのです。その立役者となったのが微生物でした。原爆を落とされた広島や長崎のエリアは、偶然にも、味噌麹など発酵物をつくっている場所がとても多かったそうです。

そのため、この土地の土には、善い菌として活性化されている土壌菌が多かったのです。この土が土壌菌によって活性化されていたため、通常の何万倍もの速さで被爆地の土を浄化したといわれています。

結局、土中の微生物を活性するのにも、ミネラルがエネルギー源となっていたわけです。

これと同じ原理となりますが、農薬に対しても、ミネラルは浄化作用を発揮します。現代は、効率的な収穫をめざして畑に農薬を撒きますが、土中の土壌菌はどんどん死滅してしまい、土全体が枯渇した状態になってしまいます。そうなると、作物も育たなくなるわけですが、こんどは、窒素、リン酸、カルシウム、マグネシウムなどを肥料として入れて、作物を育てるのです。

すると、栄養価は低いけれど、見た目だけが美しい作物ができる。虫食いのない、きれいな形のキュウリやトマトたちができて、私たちはそれを普段口にしています。

虫食いがないということは、虫すら食べない危険なものということでもあるのですが、そういうものを食べていながら、多くの人が危険とも思わない。これは明らかに、感覚が鈍っている証拠といえるかもしれません。

それでも、生体ミネラル水を飲んで3ヵ月も経つと、食べたものに化学物質や添加物が入っているかどうかがわかるようになる方もいます。ミネラル水を摂ることで、五感も研ぎ澄まされ、舌がピリピリしてきたり、まずいと感じたりするようになるからです。

ワンネスのためには体と地球を同調させること

これからのワンネスの時代をつくるには、まずは自分自身の体と地球を調和させていく必要があると考えています。前回、ワンネスの世界

本井秀定さんの2011年3月12日のブログより抜粋

地震未来予知

（前略）なぜ、今までのブログで、「未来予測」について書いたのかようやく理解できました。今回の大地震のことだったんですね…自分でも、なぜこのような方向性で書き始めたのだろう…と、今まで不思議に思っていました。

実は最近こんなことがあったのです。3月7日（月）…大地震の4日前。その日は遅くまで一部の社員が残っていたので、久々に一緒に帰りました。ビルのシャッターが閉まっていたので、非常口から出ようとした時、いきなり、『グラグラ…』と感じました。「地震か？」けれども、二人の社員は何とも感じてない様子。（中略）その時に僕は、無意識で彼らにこう言ったのです。「これから、大きい地震が来るよ…」これは不意に出た言葉で、自分自身、この発言をしたことに「ギョッ」としたくらいです。（中略）その日は帰って床に着いた時、自分の意識の深い所を探ってみました。どうも、かなり迫ってきている（後略）

本井秀定さんのブログは、こちらから読むことができます。

でもある5次元の世界への過渡期にはミネラルが必要だという話をしました。実際にこの生体ミネラル水を飲み始めると、地球が何を感じているかが、おぼろげながら見えてくるのです。それはミネラルを介して、地球の意識と同調し始めるから。この調和が取れないと、地球との意識がかみ合わなくなってしまいます。

けれど、同調できていれば、地球に今後どのようなことが起こるのか、天変地異のようなことが起こるかどうかということも、うっすらと感じるようになる方もいるでしょう。

２０１１年3月11日に起きた東日本大震災ですが、これは誰も予言していなかったといわれていますが、じつは僕はしていたのです。２０１１年3月12日のブログを読んでもらえれば、その様子がすべてわかります。

予知能力の一種かもしれませんが、ある意味私にとって、これは当たり前のこと。なぜなら、私たちは地球に住んでいるのですから。地球が内包するミネラルと、私たちが体の中に取り入れるミネラルが同調することで、地球をより深く感じられるようになるのです。

5次元世界にも必要な第7感もミネラルで開く

石器時代や縄文、弥生時代の人たちなどは、現代の私たちよりもずっと地球と同化して生活していたはずです。そうしなければ、獣に襲われたり、自然災害に遭ったりして、自分はもちろん、家族全員が殺されてしまう可能性があったからです。

そのため、前もって危険を察知する能力、つまり第六感を研ぎ澄ませておく必要がありました。

では、この第六感はどこから来るのかというと、地球の成分そのものであるミネラルからということになります。ところが、宇宙とつながる5次元の世界、つまりワンネスの世界で必要となるのは、これまでのような第六感ではなく第七感。心の目を開き、愛と調和を理解しなければ、その世界へはいけないのです。

とはいえ自分さえよければいいというエゴがまだ蔓延しているこの世の中で、自分を守る術も持たず、愛と調和で生きようとしても利用されて身も心も傷ついてしまうこともあるかもしれない。そんなことになったらこの地球に生まれた意味がなくなってしまいます。

こうした世の中を上手にわたっていくためにも、これからは第六感以上の感覚を働かせていかなくてはいけません。5次元の世界は、10次元意識である地球の半分の意識の世界。地球上で生きるには、この5次元の意識を持って、地球と調和していくことが大切になります。

なぜ私はこの地球に生まれたのだろう。なぜ私はスピリチュアルなことに興味を持っているのだろう。

こうした想いはすべて、自分の中に何かしらの気づきがあるから、湧き上がってくること。つまり、そこにある意識と共鳴しているのです。

いまここにあなたがいるのは、先祖が連綿と命をつなぎ、未来への時間を紡いできてくれたからこそ。私たちには必ず両親がいて、先祖がいて、それをずっと遡っていくと、シアノバクテリアのような微生物に辿り着きます。そこから魂と肉体と両方を進化させて、いまの私たちが生まれている。そう、私たちは連綿と命をつなぎながら、地球に生かされてきているのです。

これこそが地球からの愛。また、生体ミネラル水には、その愛が凝縮して存在しています。

次回最終回は『希望の命水』から愛と喜びの世界を拡大するということをテーマに、いま、皆さまにお伝えすべき情報をお届けします（次号へ続く）。

希望の命水

生体ミネラル水は、数億年前に海から隆起した黒雲母花こう斑岩を、食用酸でイオン化抽出し、14もの工程のろ過を経てできあがった濃縮ミネラル水。原始の地球では塩酸や硫酸などの強力な酸を含む雨が大地のミネラル分を溶かし、その水が集まって、太古の海をつくり出しました。この多くのミネラルを含んだ海から、最初の生命が誕生したのです。

飲用以外にも！ その3
スムージーや100％ジュースに。命水の酸味が苦手なお子様もこれなら大喜び！

最終回
いのちの礎

地球とともに光の次元へ上昇するために

「ミネラル水」から愛と喜びの世界を拡大する

生体ミネラル水と
人生向上の研究家
本井秀定さん

Profile

もといひでさだ◎生体ミネラルを取り扱う、株式会社JES他4社の最高経営責任者。元・東放学園「マネージメント論」講師。「記憶法」「速読法」「α波ミュージック」「集中力呼吸法」などの能力開発プログラムを企画開発。通教生徒数実績が延べ60万名。経営、哲学、環境、健康、精神世界を問わず、あらゆるジャンルからの相談も後を絶たない。「真実・希望・喜び」をテーマにしたブログは、1日最高20万アクセスを誇る。幼少時からの臨死体験、宇宙からのコンタクト、東日本大震災の予知など、実業家には珍しくスピリチュアルな一面を持つ。
https://j-smc.co.jp/

**母なる大地からつくられる「生体ミネラル水」を通し、
地球は私たちに惜しみなく愛を与えてくれています。
この地球上に自分の足で立ち、ミネラル水を摂り、
心身のバランスを整えることで、
私たちは天と地をつなぐ「光の柱」になることができるのです。
連載最終回は、生体ミネラル水の研究家、
本井秀定さんの奇跡体験も交えながら、
『希望の命水』の今後の展望などについても伺いました。**

（2020年11月号掲載）

ミネラルを介して一人ひとりが光の柱に

言葉というのは面白いものです。皆さん、英語のＵｎｄｅｒｓｔａｎｄはご存じですよね。なぜ、Ｕｎｄｅｒ＋ｓｔａｎｄで「理解」というのか。実はこれは「地球の上に立つ」という意味を持ち、私たち一人ひとりがこの地球上で「自立して生きる」という意味も含んでいます。

私たちは物理的に、地球の表面から離れて生きることはできません。いってみれば皆、地球を通してつながっている。これこそがワンネスなのです。なかには「あの人とはつながりたくない！」と思う人がいるかもしれないけれど、残念ながらもう、すべて皆つながっているのです（笑）。

だからこそ心に響くものに触れると、私たちは共鳴します。人というのは、そうして感じるからこそ、動くことができる。「感動」するというのは、とても大事なことなのです。

いくらデータを並べてミネラルの必要性を説明しても、それは理論・理解の世界。それだけでは、人はその先への行動を起こしません。ですからどんな辞書にも、理解して動く「理動」なんて言葉はないのです。

ところが、ミネラル水の実験（P37囲み）をすると、誰もがご自身の体の変化に驚き、そして「ぜひ飲みたい！」と行動を起こします。感じて動く……これこそがまさに「感動」なのです。

生体ミネラルには、人の体や意識にダイレクトに働きかけて調和させる、目に見えない力があります。感じて動いていると、地球とのつながりも強くなります。そして、地球と一体化してこの大地に立ったとき、私たちは天と地を結ぶ「光の柱」になることができます。地球からの贈り物であるミネラルを通して、私たちが触媒となり、天と地の懸け橋を結ぶことができるのです。

思い出してください。東日本大震災のとき、日本人の誰もが「いまの私がみんなのためにできることはなんだろう？」と考えていませんでしたか。そこではすでに、5次元のワンネスの意識になっていたのです。

海外だったら暴動が起きるような場面でも、日本人はきちんと整列してお店でものを買ったり、たったひとつのおにぎりを2人で分け合ったり。これは当たり前のことではなく、ある意味、もともと日本民族がワンネスの意識を持っていたからこそ、できたことです。

そして、ｗｉｔｈコロナのいまこそ、このワンネス意識を世界のために役立てるときです。常にこの意識でいるためにも、地球からの愛であ

ミネラルの働きを実感！ 体感覚バランス実験

動画は
こちら

この実験では、体内にミネラルが入ることで、体のバランス感覚が高まることが実感できます。目には見えないけれど、神経系に電気信号がスムーズに流れているかどうかがわかる体感型実験です。

1 実験を受ける方（A）は足を閉じ、つま先までぴったりつけた状態でまっすぐ立つ。

実験する方（B）はAのやや斜め後方に立ち、Aの胴と腕の間から拳を入れて、Aにしっかり握ってもらう。

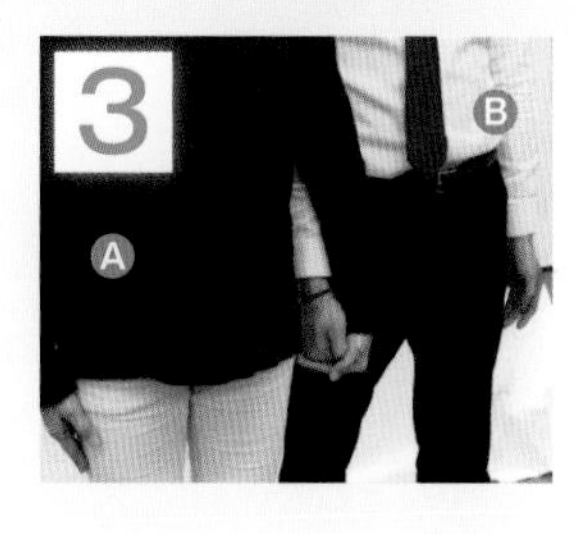

Bはゆっくりと下に向けて拳を押し下げていく。

どのくらい力がかかった時にバランスが崩れるかをAに感じてもらう。

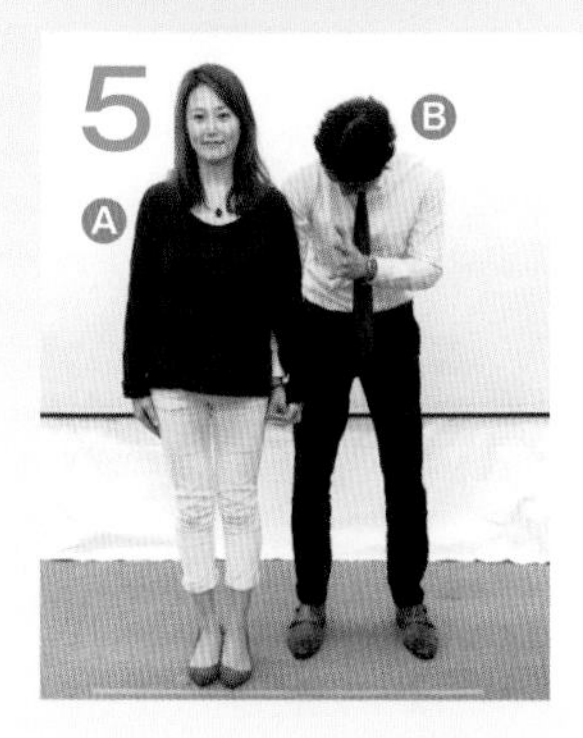

Aに『希望の命水』30mlを飲んでもらい、1分ほど時間をおいてからまた1～3の手順で同じことをすると、バランスが崩れにくくなることがわかる。

＊もし、30mlでピンとこない場合は、さらに30ml飲んで同様に実験する。これをくり返し、バランスを崩さなくなったときの量が、自分にとっての生体ミネラルの適量だということもわかる。

るミネラルを日々摂り入れてみることから始めてみてはいかがでしょう。

この世のはじまりに 光・水・鉱物ありき

ところで、「魂は21g」という魂の重量を明らかにした、気鋭の生命科学者・川田薫博士のことをご存じでしょうか。彼は科学技術庁の外郭団体でミネラルの研究を行い、さまざまな作用を発見されてきました。

以前、川田先生とお会いした際、同じ考えを持っていることに驚きました。川田先生の著書『生命の正体は何か』（河出書房新社）のまえがきに、このようなことが書かれています。

「私たち人間は感情を持ち、ものを考え、火星に探査機を送り込むほど高度な文明を発展させてきた。その人間は、猿に近い霊長類から進化してきた。もっと遡ると、その祖先は海に住んでいた。さらにどんどん遡っていくと、単純なつくりをした微生物に行き着くことがわかっている。地球に最初の生命体が発生したのは35億年前とも、38億年前ともいわれている。このもの言わぬ最初の生命体は、アミノ酸などの有機物が複雑に結合したもので、その有機物は無機物（鉱物）の化学変化によってできたと考えられている」。

つまり、「すべての生物は光と水と鉱物（＝ミネラル）でできている」というのです。こんなふうに同じことを考えている人がいるということに、おたがいにびっくりしました。

思えば、２００７年に重篤な痔ろうと糖尿病の合併症という体の危機に瀕していた私を救ってくれたのも、生体ミネラル水でした。そう、すべての命の始まりには、光・水・鉱物があったのです。

ミネラルの摂取でお祓いができ 憑依体質もクリアに

私たちの命の源に通じているおかげでしょう。生体ミネラル水を摂っていると、精神的にも肉体的にも調和がとれてきます。たとえば夜中に足がつったりする人の場合、ミネラルが足りていないことが多いのですが、そういう方は生体ミネラル水を摂ったりマッサージすると、すぐに症状が落ち着いてきます。

じつは、金縛りで苦しんでいる人にも、ミネラルが功をなすことがあります。気功の先生から、興味深い実験のテープを聞かせてもらったことがあるのでご紹介しましょう。

その先生のクライアントに憑依体質の女性がおり、憑かれていると女性の声の裏声で男性の声がするのです。そこで、生体ミネラル水を口

連載最終回に寄せて、本井秀定さんよりメッセージ

幸せに生きるための時計回り

連載も最終回になりました。最後に皆さまにメッセージを送りたいと思います。ここからお話しするのは、誰でも豊かに幸せに生きるヒントを知る簡単な方法です。目の前の人に向かって、透明のガラスに円を描くように指をクルクル左回りに回してみてください。でも、それを見ている相手は時計回り（右回り）に見えています。

じつは、うまくいかない思いやアイディアは100%、「相手の視点」ではなく「自分の視点」だけでモノを見た結果。つまり、成功する秘訣は、自分だけの喜びより、相手の視点に立ち、相手の喜びを主体に考えたほうが結果的に上手くいく、ということになります。

それは、たった一人の笑顔のためでもいい。

それらの中の大きな考え方は、「自分よりも人の喜びや笑顔のために生きる」です。それを、私は幸せになるための時計回りと言っています。皆さんも、何か迷ったときは指を回して、誰かを笑顔にしているか考えてみてくださいね。

さて、この連載は、アネモネの編集長はじめライターさんを前に、延々とお話ししたものですが、よくぞコンパクトに4回にまとめてくださいました。「5次元ははるか天空ではなく、いまここにある」そんな私の想いも汲み取っていただき、心から感謝いたします。

余談ではありますが、「いまここ」という点では、私の初の新刊書籍をご覧いただくとご理解いただけるかと思います。この本には「アセンション」「5次元意識」「ワンネス」などの言葉は出てきません。どれも日常的で身近な話題ばかりですが、ここにさまざまな幸せになる秘訣を盛り込みましたので、ご覧いただければ幸いです。

『幸せの種　不幸の種』
本井秀定 著
コスモ21（トゥーワン）
1,400円+税

の中と後頭部にシュッシュッとスプレーすると、憑依が外れて男性の声が消え、女性の声だけに変わりました。

ここからわかるのは、目に見える世界も見えない世界も、調和が大切ということ。病気というのは、気が病むから現象として病気がうまれる。ですから、病気を治すのは医者ではなく、患者本人の力がとても大きく作用します。

心身の調和が取れていないと周波数の低い存在と共鳴しやすくなり、金縛りに合いやすくなったり、憑依体質になったりしてしまいます。けれど、ミネラルを摂ると周波数が高まるため、波動が高い存在との共鳴が起こり、そのようなことに遭遇することがなくなっていきます。

神道系の先生の中には、お清めとして『希望の命水』をまず飲んでから、お祓いやご祈祷、祝詞をあげる方もいらっしゃるくらいです。皆さんも日頃からミネラル水を飲用したり、スプレーでふりかけたりすることで、自然に周波数を高め、調和のエネルギーで自身を満たすことができるはずです。

東日本大震災で体験した100％の奇跡

未曾有の被害をもたらした東日本大震災。宮城県や岩手県など、被災地となったエリアには『希望の命水』を定期購買される277戸の家族が住んでいました。

被災直後は皆さん、希望の命水を摂るどころの話ではありませんでしたが、私たちは「こういうときこそ、ミネラルが必要だ！」と考えました。そこで、まずは被災地で定期購入なさっている方々には、自動引き落としをストップさせ、毎月無料で送り続けたのです。

被災地の食事というと、どうしてもカップ麺やレトルト食品が多くなってしまいます。そこでも、添加物などを浄化するミネラルの出番です。

会員さんとその知り合いの方々向けに、「必要であればミネラルを送ります」と、当初は数百万単位の予算を組みました。けれど、予算の制限を設けるのも何かおかしい気がして、途中から被災地の方々には、無期限で『希望の命水』を無料でお届けすることにしたのです。

その結果、なんと8ヵ月後には277家族全員の自動引き落としが復活したのです。「タダでもらえるから、ずっと送ってもらえばいいや」という人は、一人もいませんでした。

最初は、うちの社員が銀行引き落としの再開を、こちらから促したのだと思い、怒ったのです。

ところが「これを見てください！」と差し出されたのは、お礼のＦＡＸやメールの束。そこには無料お届けの御礼と、お客さま自ら銀行引き落とし復活のお願いが書かれていたのです。

しかも、震災直後から原発事故の影響で、テレビ番組などでも「放射能にはミネラルがよい」ということがたくさん取り上げられました。すると、これまでにないほどの追加購入の嵐が起きました。そして、ふたを開けてみたら、売上が一気に伸び、無制限で支援していた額とほぼ同額になっていたのです。

このとき、やはり神さまは私たちをちゃんと見ていてくださることがわかりました。これが本当の神業。無制限でただ支援しようと、１００％の気持ちで覚悟した。だからこそ、１００％の奇跡が起きたのです。

会社というのは、「社（やしろ）に出会う」と書くでしょう。つまり、会社という場所は神との出会いの場。神聖な場所なのです。一方、企業は「業（ごう）を企（くわだ）てる」と書きます。そのため、自分さえ儲かればいい、そのためならなんでもしていい。そういう場所になりがちかもしれません。

うちは永遠に会社です。神と出会う神聖な場所として、これからも皆さんとともに歩んでいきたいと思っています。

ミネラルを通じ神からの縁をこの世に活かす

神聖な場所といえば、２００７年に生体ミネラル水と出合う前から、私は毎月、新潟県のある神社に参拝していました。いまは神社にお参りに行く人がものすごく増えましたが、自分の願いを神さまに届けるコツをご存じですか？

多くの人は「宝くじが当たりますように」「いい人と出会えますように」など神さまに一生懸命祈っているつもりでしょうが、それは実のところ、自分の願い事だけを神さまに押し付けているだけのこと。そのことに気づいている人は、どのくらいいるでしょうか。

神さまは人間の10倍の感情を持っています。私たちが憤ったり悲しんだり喜んだりする、その10倍を感じていらっしゃるのです。

そんな神さまに対して、小銭のお賽銭をあげて、機械的にパンパンと柏手を打って、「これをお願いします」と願い事だけ押し付けたら、いくら神さまでも「あー、もういい。早く帰って……」となってしまうのではないでしょうか。こういうことをしていては、願いなんて叶うはずがないのです。

では、どうすればいいのか。私の場合は「どうか神さまが望む世の中になりますように。神さまが喜ばれ、人々の微笑みでいっぱいの世の中になりますように」という意識で、毎回祈っています。

そうすれば神さまも「ほほう、私のことを祈ってくれる人間もいるのか。ならちょっと、話を聞いてやるか」となってくださるのです（笑）。

私の場合は、糖尿病の合併症で右足切断の危機がかかっていましたが、「これも神さまが望まれたことならば仕方がない。自分の命はどうでもいいから、どうか神さま、私をあなたが望む世の中のために使ってください」と祈っていました。半ば、やけっぱちな部分もあったかもしれませんが……。

そうしたら、光・水・鉱物というインスピレーションが降りてきて、生体ミネラル水との出合いがやってきました。そのミネラルを通じ、私は神さまに喜ばれる愛の世界をつくりたいと心から思っています。

この秋には、豊かに幸せになるための究極の指南書『幸せの種　不幸の種』が新刊本として発売となりました。

これからも地球が幸せになるための真実の情報をお伝えし、ミネラルを介してつくられる、よりよい未来を創造していきたいと思っています。

希望の命水

生体ミネラル水は、数億年前に海から隆起した黒雲母花こう斑岩を、食用酸でイオン化抽出し、14もの工程のろ過を経てできあがった濃縮ミネラル水。原始の地球では塩酸や硫酸などの強力な酸を含む雨が大地のミネラル分を溶かし、その水が集まって、太古の海をつくり出しました。この多くのミネラルを含んだ海から、最初の生命が誕生したのです。

飲用以外にも！　その4
大人の楽しみ、お酒にも。驚くほど味がまろやかに！　翌朝の目覚めもスッキリ！

誰も教えなかった究極の指南書

― 読むだけで常識が変わる 喜び事が起きはじめる ―

アネモネ特典映像

「36の希望の法則」

↑二次元コードからご覧頂ける無料映像は、
アネモネ読者の方だけの特典です。

●「36の希望の法則」は、右の書籍購入の方や、限定された方にしかお見せしていませんが、今回「アネモネ」の読者さんに特別に無料公開致します。
私が瞑想中に語りかけてきた「女神」からの通信を元にまとめた、誰もが幸せになれる気づきのヒントです。
ご覧になって、日々の糧にして頂けたら幸いです。
映像中の文章に「ハッ」とした箇所があったら、それは私の言葉ではなく、潜在意識に眠るもう一人のあなたからのメッセージなのです。
この映像は、きっとあなたの中にある " 大切な何か " と響き合うことでしょう。

★もしも上記の「36の希望の法則」をご覧になって何もお感じにならなかった方は、この本は買わないでください(???)。

予約段階で早くも
アマゾン新着ランキング
第1位 人生論・教訓

あなたは知らずに不幸の種を育てていませんか?

幸せの種 不幸の種

本井秀定
Hidesada Motoi

豊かになって幸せになる考え方を
一つだけお教えしましょう。

不幸な人生を歩む人は、不幸の種を見つける天才です。
幸せな人生を歩む人は、幸せの種を見つける天才です。
たとえそれが小さな幸せの種であったとしても、
決して見逃さないことが幸福・成功・健康への早道です。

コスモ21

「幸せの種 不幸の種」本井秀定著
1,400円+税　224ページ
コスモ21（トゥーワン）

著者：本井秀定
1957年生まれ。現在、生体ミネラルを取り扱う(株)ＪＥＳ他４社の最高経営責任者。元・東放学園「マネージメント論」講師。「記憶法」「速読法」「α波ミュージック」「集中力呼吸法」などの能力開発プログラムを企画開発。通教生徒数実績は延べ60万名。経営、哲学、環境、健康、精神世界を問わず " 真実 "をテーマにした著者のブログは、一日最高20万アクセスで好評公開中。**幼少時からの臨死体験、宇宙からのコンタクト、東日本大震災の予知など、実業家には珍しくスピリチュアルな一面を持つ。**彼を紹介した雑誌や書籍は多数あるが、今回初めて待望の出版が実現。

〒164-0003　東京都中野区東中野3-8-13　MSRビル7F
株式会社JES
電話：0120-998-711　FAX：03-3364-7407　https://j-smc.co.jp/

生体ミネラル水と人生向上の研究家
本井秀定さんの希望の祈り

写真右　ラクダ『モーゼ』と
p45「砂漠の地で待っていてくれた暴れラクダのモーゼ」参照

人類の意識を覚醒させる水の儀式 in エジプト《 前編 》

生体ミネラル水と人生向上の研究家であり、能力開発のエキスパートでもある、本井秀定さん。昨年、わけあって訪れたエジプトで、人類の意識を覚醒させるための「水の儀式」に参加したそうです。エジプト文明と日本人のルーツ、その大本となる古代文明との関係性について、現地での様子を交え、お話しいただきました。

（２０１３年11月号掲載）

アマテラスと日本人とエジプト

受け取ったサインとアマテラスと日本民族の由来

２００６年７月の瞑想時に、僕は〝２０１２年５月21日に何かが起きる〟という強烈なサインを受け取りました。

具体的なメッセージなど何もありませんでしたが、その日が来るのが、とても気がかりになっていました。

当時はインターネットで調べても、その日に何かが起きるなんてどこにも見あたりません。「ひょっとして、地球規模の大災害が起きるのかな」なんて、思ってたりしてたわけです。

それから数年後、ウチの社員が「社長、その日は日本で金環日食が見える日らしいですよ！」と、教えてくれました。

そこで、インターネットで検索したら、確かにその日は日本のあちこちで金環日食が見えるという珍しい日だったんです。

直感的に、「アマテラス……、日本民族に関する重要な出来事が起きる」と思いました。天照大神に関しては、以前からメッセージを受け取っていました。

メッセージによると天照大神の本名は「シャーメル」。シャーは中世フランスの「君主・主人」、それが英国の叙勲制度で「崇高なる」を表す「Ｓｉｒ」（サー）になり、メルは英語の「ｍａｉｌ」、つまり通信。

直訳すれば、「崇高なる天の意思を受け取り、述べ伝える（通信する）者」となります。

当時、アマテラスという名はニックネームだったようで、正式名は、アマテル。三代にわたってその名は継承されたようです。初代アマテル（シャーメル）のみ女性で、その後の継承者二代は男性でした。三代ともその存在は、まるで神（天）

『12人の長老』の1人と呼ばれ、世界的に注目されるシャーマンのキーシャさん。

今年5月に、出版されたキーシャさんの著書。叡智の伝承者「12人の長老」について詳しく触れている。

『迫り来る地球大変容で“レインボー・トライブ/虹の民”に生まれ変わるあなたへ』
キーシャ・クローサー著 サアラ訳
ヒカルランド

が降りて世を照らしているようだった。「シャーマン」という言葉は、初代アマテル（シャーメル）を引き継いだ男性（Ｓｉｒ ｍａｎ）から由来しているとのことでした。

しかも、初代アマテルはシュメール民族の族長の娘で、日本ばかりではなく、世界を統治していたと……。

これらのことは、単なる僕の妄想ではないことが後に分かりました。

プラトン全集を翻訳し、帝国大学の天才と謳われた木村鷹太郎さんは、『魏志倭人伝』を研究する中で、「邪馬台国は、地中海から東アジアに及ぶ広大な地域を支配していた日本民族を記録したものなのだ」という説を唱えていました。

つまり、イタリア、ギリシア、エジプト、アラビア、ペルシア（現イラン）、インド、シャム（現タイ）、ケルト（現ドイツ・フランス一帯）までも網羅していた民族が、日本民族だと言うのです。

5月21日を迎えるにあたり参加を決めたエジプトツアー

そしていよいよ2012年5月に入った時、世界的な脳科学の権威から、いきなり、「エジプトに行かないか？」という誘いを受けました。

エジプトのギザのピラミッドを貸し切り、世界のシャーマンだけが参加するツアーだと言います。約2週間のツアーですが、問題の5月21日も含まれています。

その日、日本で何かが起きると思い込んでいた僕は、当然日本でそれを確認したいと思っていました。そのため、この話を受けるかどうか、とても迷っていたんです。

しかし、〝問題の日〟を以前から話していた社員や友人から、「これもきっと何かの大きな力が働いて、実は計画されているのかも知れませんよ」との強い勧めもあり、このツアーに急きょ参加することを決めたんです。

そして、実際すべてに意味があって起きていることを後で知りました。

実は、エジプトに行く直前に、参加者である日本人7名の名前を知らされました。当然ながら、僕を含め、シャーマンはいません。しかしその全員が、僕の知人ばかりだったんです。

宇宙からの情報が読み取れる12人の長老たち

ツアーでは、特別に貸し切ったギザのピラミッドや、一般の観光客が入れないような洞穴や、神殿の深部などを訪れました。

現地を案内してくれたのは、キーシャさんというサイキックな女性。彼女は「12人の長老」の一人と呼ばれ、世界的に注目されるシャーマンです。そのほかの長老は正体を明かしてなくて、キーシャさんだけが公で活動しています。

なぜ彼らが「12人の長老」と呼ばれるのかというと、世界のあちこちに現れるミステリーサークルを、唯一読み取り、宇宙と交信する力を持っているからです。

彼らはミステリーサークルについて、「宇宙から受信したサイン」だと言います。ＮＡＳＡは、宇宙に地球外知的生命体がいるかどうかを調べるために、特別な図形を描いた信号を宇宙空間に向けて発信しました。その結果、「返事はなかった」と公表しています。

ところが信号を送った翌日に、実は知的生命体から返事が返ってきていたんです。そのメッセージを読み取ったのが、12人の長老たちです。これは、映画『ＴＨＲＩＶＥ（スライヴ）』で公開されています。

彼らは、「ミステリーサークルは、近未来に起きる予言を含めた宇宙人からのメッセージ」だと言います。

僕がエジプトを訪れた時も、ピラミッドの近くでひんぱんにＵＦＯが現れていたようです。太古ではエジプトに宇宙人が行き来していて、宇宙的な叡智を〝地上での建造物〟として伝えていたんじゃないでしょうか。

たぶんこのツアーも、宇宙人が関係しているのかも知れません。

ピラミッドの大きな役割は地球変動制御装置

ピラミッドに積み上げている石の形は様々で、しかも凸凹の石が多い。これは、巨石文明の遺跡でよく見受けられます。

その石に、隣の石が寄木細工のようにぴったりはまっています。その隙間は、剃刀はおろか、レーザー光線でも入る余

旅の間中、常にオーブに歓迎されていた本井さん。おなかと頭にオーブが写っています。

地がないほどです。

中には、巨大な豆腐を巨大なスプーンですくったような、滑らかな石もゴロゴロしていました。その強度は精密に計算し尽くされ、何万年も保てるよう作られています。

日本で言えば、縄文時代よりももっと以前の時代にあたります。現代科学の枠を集めても、人間の科学や力では、ピラミッド、スフィンクス、オベリスク、そして様々な神殿等の建造物は絶対に造れません。

ましてや、当時は狩猟で生活し、金属の鋳造はもっと先の時代の話と言われています。

これらエジプトの秘密は、映画『THRIVE』と『ピラミッド5000年の嘘』を併せて見たら、建築技術以外でも、天文学的見地からでも様々な発見があると思います。

そのひとつが、「ピラミッドは王家の墓ではない」ということ。

その証拠に、ピラミッド内ではミイラは一体も発見されてなくて、王家の墓は別の場所にあります。

ピラミッドはいくつもの意味合いを持つ建築物で、その大きな役割のひとつが「地球変動制御装置」。例えば、ポールシフトや世界規模の大地震、洪水などに対して、地球の大きな変動を抑えるためのものです。

そのほかの役割としては、「意識覚醒」「意識拡幅」「意識伝播」のための装置と言えます。

王と女王の間で響き渡る地球に愛を注ぐ儀式

ギザのピラミッド内部では、「王の間」と「女王の間」が有名です。

「王の間」は字の通り、歴代のファラオや神官等の指導者が瞑想を行なった部屋で、意識を覚醒させ、宇宙人と交信を行なったり、自身のエネルギー、サイキックなパワーや霊感を高めたり、テレパシーで民衆の意識へ一斉に働きかけたりしていました。

「女王の間」は、歴代の女王はもちろん、医師や癒しを行なう人や、音楽の作曲や壁画などをデザインする芸術家が瞑想を行なったり、世界平和や民衆への癒しのためのエネルギーを送ったり、地球に愛を注ぐ儀式を行なっていました。

このツアーの儀式には、僕たち7人のほかに、世界十数ヵ国のシャーマンが30名ほど参加していました。そして、それぞれの魂の傾向に従って、「王の間」と「女王の間」に分けられました。

脳科学の先生と僕と友人は「王の間」を指示され、治療家の先生方は「女王の間」でした。誰も自分の職業など伝えてないのに、キーシャさんはすべて分かっていたようです。

各人が各部屋で手を繋ぎながら円陣を組み、中心にオベリスクにそっくりな水晶原石を置き、〝地球に愛を注ぐ言霊をずっと発し続ける〟という儀式を執り行いました。

僕が指示された「王の間」では、何分か経つと不思議なことに、全員の言霊がひとつとなり、それが何とも言えない心地良い音楽のようなハーモニーになっていきました。

今まで聞いたことのない、まるで天上界で奏でるオーケストラのように、心に沁み渡る清く麗しい調べに変わっていったんです。

遠くにある「女王の間」で儀式を取り行なっている方々の声も、同じような曲調として聞こえてきました。

幻想的で圧倒的な荘厳さに満ちた、エジプトの建造物。

それがピラミッド内でひとつになった瞬間、まるで数百人規模のオーケストラを間近で聴いているように、壮大な大音響のハーモニーとなり、地球上の全世界に広がって行くような感覚を覚えました。

ピラミッドの外まで響いたのでしょうか、警備員が驚いて、駆けつけたほどです。まさにピラミッドの覚醒・拡幅・伝播機能を体験したわけです。

ムーとアトランティスと日本の関係

超古代文明と関係していた日本民族の起源

エジプトに行くと、世界の文明の大本が分かります。ギザのピラミッドが現代文明の発祥の地だということです。

そして、世界の巨石文明の建設には、シュメール民族が大きく関係していると思われる発見もたくさんできます。

一般にシュメール民族は、6000年前の世界最古の文明と言われているメソポタミア文明を作ったと伝えられています。しかし、その後、歴史から忽然と姿を消してしまい〝人類最大の謎〟とされてきました。

そこで僕が確信しているのは、「シュメール民族＝日本民族」説。

＊

●シュメール民族は、自らを「血の混ざり合う民（シュメル）」、そして彼らが作った都のことを「スサ」と呼んだ。

●日本の天皇を表す「スメラミコト」とは、「シュメールの王」を表し、アマテラスの弟の名は「スサノオウノミコト」、つまり「スサの王」と一致する。

●日本語で元々発音していた「シュメル」は、天皇の意味を持つ「スメラ」と紛らわしいため、第二次大戦中に「シュメール」と発音するように変えられた。

●シュメール語は楔（くさび）形文字で、日本語と似たような構造をしている。例えば、漢字の形成と同じ過程を経ている「同音異字」が多い、漢字仮名混じりと同じ構造を持つ「子音や母音の表現」、テニヲハの接着語によって単語に意味を持たせる「膠着語（こうちゃくご）」、「音と訓の違い」や「当て字」など、あまりにも一致している。

＊

日本語とシュメール語は意味は違っても、日本語での発音はシュメール人に通じる文章となります（次ページコラム参照）。この手法は、古事記のできた今から1300年前、天武天皇の指示で2通りの解釈ができる「レトリック技法」が用いられていたようです。何かしらの事情があって、日本民族とシュメールとの関係について隠す必要があったのではないでしょうか。

ムーとアトランティスの混血が日本人のルーツだった

では、シュメルの意味である「血の混ざり合う民」とは、一体どの民族と民族が混ざり合いシュメール民族となったものなのか？

結論を言えば、1万年前のムー人とアトランティス人との混血を指しています。

ここからはあくまでも、僕が受け取ったインスピレーションです。

＊

今から約1万1000年前、地球上に2大文明が栄えていた。

ひとつはムー文明。大自然の法則の数式化や、高度な建築技術、航海技術に長け、また、遺伝子組み換えではないバイオテクノロジーの研究にも優れていた。

もうひとつは、アトランティス文明。宇宙の法則や天文学、飛行術、音楽や芸術に優れ、物理的なものよりもスピリチュアルな世界を重んじ、動物や植物とも会話ができた。

この2つの大陸に住む人々はとても調和が取れていて、政治や教育を司るシャーマンたちは、天の意志を読み取ったり、宇宙人と自由に交信して、民衆から人望を集めていた。

しかしある時、宇宙連合に属さないアウトローの宇宙人たちから侵略を受ける。侵略といっても、宇宙には絶対的な決まりがあり、武力や実力行使での侵略は許されていない。

そこで、「憑依」という手法を使い、民衆の精神をコントロールし、意識に深く侵入してかく乱した。神と偽り、他人を殺傷させたり、欲の増長、政治やシャーマンに対する、民衆の不信感や疑心を増大させた。

それにより、平和で愛と調和の取れた2つの国が、一気に地獄の世界へと化した。人民の心は荒れ、いつの間にか矛先が、今まで懸命に民衆を抑えて来ていたシャーマンたちに向かい始める。

天と交信できる者に対して、一種の魔女狩りのようなことが各地で起き始めた。

シャーマンたちは、「このままでは天の怒りに触れ、国は沈没してしまう」と警告を発したが、民衆の暴動は収まりそうもない。

そこで、ムーで生き残ったシャーマンたちと、宇宙人からの憑依に打ち勝った人々は、天からの指示のもと、得意だった航海術でエジプトの地に船で向かう。

アトランティスで生き残ったシャーマンと人々も、飛行術が得意だったので、気球のようなものでエジプトの地へと向かう。

ムーもアトランティスも、お互いがテレパシーで交信し合っていた。その後、両国がエジプトで合流した時、地球の地軸移動「ポールシフト」が起き、大陸は沈没してしまった。

アウトローの宇宙人たちも、宇宙連合や天の逆鱗に触れたことを知り、地球からいったん撤退する。

エジプトに集合したシャーマンたちは、最初の人類（アダム族とエバ族）たちが行なったように、天からの指示の元、お互いの男女が婚姻の儀式を執り行った。

このエジプトで生まれた混血の子供たちのことを「血の混ざり合う民」、つまり「シュメル」と呼んで天は讃えた。

シュメールの純血血統は宇宙と交信できるシャーマン

その後、シュメール民族は天や宇宙連合の叡智と技術を借り、現地の人たちに色々と指導して、5000年前のエジプト文明よりも、もっと古い約11000年前の「超古代のエジプト文明」を築きました。そしてアウトローの宇宙人●●●●●●からの侵略やポールシフトに備えて、巨大意識装置であるスフィンクスやピラミッドのほか、世界中に巨石文明を次から次へと作っていったというわけです。

その後も「血の混ざり合う民」は、その土地の人々と婚姻し、同化していきました。そのため、古代メソポタミア文明以降、彼らが人類史上から忽然と姿を消してしまったかのように見えます。

けれども一部、シュメールの純粋血統は10の部族に分かれ、「神の因子」として受け継がれてきました。

その10部族が天の命に従って、日本の地に集結し、八百万（やおよろず）の神として伝えられたんです。

映画『十戒』で有名なモーゼは、エジプトで奴隷となったユダヤ人を、エジプト王であるファラオから救い出したことが聖書の『出エジプト記』に書かれています。

このモーゼを、僕の意識の中でイメージすると、彼は黒髪で瞳も黒く、まさに東洋人です。

しかもインターネットで調べてみると、メソポタミア文明を指導していた科学者や建築学者、シャーマンも、同じように「黒髪で目も黒い東洋人」との表記が見受けられました。

つまり、純粋血統を持ったシュメール人の特徴と、限りなく近いように思えます。

このことから、「日本人には、純粋血統を持ったシュメール人と、色々な国の人々と交わったシュメール人の2タイプが存在する」と考えられます。

もちろん、東洋人は中国人を含めてアジアに大勢いますから、一概に断言できませんが。

純粋血統の証は、唯一「天や宇宙と交信できる者」、つまりシャーマン。またはテレパシーや読心術ができたり、現代の日本人でスピリチュアリストと呼ばれる方が多い。そう直感しています。

砂漠の地で待っていてくれた暴れラクダのモーゼ

そんなことを感じている僕が引き寄せた縁なのか、エジプトで乗ったラクダの名前は「モーゼ」。

現地ではすごい獰猛（どうもう）な暴れラクダとして有名で、でもその時は観光客がいっぱい来ていたので、ラクダのガイドさんが、「モーゼしか空いてない、でもあなた体格いいから」って言われて（笑）。

さすがにおそるおそるモーゼに乗ろうとしたら、鼻を少しだけ「ブフン！」と鳴らして抵抗したものの、僕の顔をチラッと見てからおとなしくなり、自らしゃがんで乗せてくれたんです。乗っても全然暴れないし、僕の思う通りに動いてくれたのには驚きました。

普通だったらガイドが手綱を持ちながら前を歩いて道案内するけど、僕の場合はモーゼを操りながら先頭に立って、2人で先にどんどん進んでいました。

僕が背中から下りる時も、落ちないようにちゃんとしゃがんでくれたのは感激でしたね。別れる時、ずっと僕の顔を見ていたモーゼ……。

ガイドには、「おまえとモーゼは相性がいい。日本でお前のペットにしないか？」と冗談を言われ、笑ってしまいましたけど。

本井さんがレクチャー！

日本語とシュメール語は似た構造を持つ

古事記の中で有名な「豊玉姫（トヨタマヒメ）の歌」の場合

『赤玉は　緒さへ光れど
白玉の　君が装し
貴くありけり』

シュメール語での発音

**『アカダマ　ユサエヒガレジ
シラジダマ　キンガユグシ
タブトク　アルケル』**

シュメール語の意味

●私の愛する夫よ、宮中の僧侶は、あなたが病気だから祈祷をすると、布施をせがむのです。私の大君よ、もっと度重ねて消息をお聞かせください。手紙をいただくのを、私は心待ちにしております。

生体ミネラル水と人生向上の研究家

本井秀定さんの希望の祈り

人類の意識を覚醒させる水の儀式 in エジプト《後編》

生体ミネラル水と人生向上の研究家として、精力的に活動を行う、本井秀定さん。昨年、わけあって、エジプトで行われたスピリチュアルツアーに参加しました。地球を癒し、人類の意識を覚醒させるためのこのツアーで日本人の役割を再確認したという本井さんが、現地で体験&発見したこととは？

（2013年12月号掲載）

ピラミッド内で見た宇宙と地球

ドアから広がった壮大な宇宙空間

儀式を行ったピラミッド内では、不思議なことが起きました。

内部は狭いトンネルがいくつもあり、そのほとんどが観光客は立ち入り禁止になっています。僕たちはそこを中心に探検したんです。

ある回廊に入ると、今までの壁画とは明らかに違う幾何学模様のようなものがたくさん描かれていて、その先は行き止まりになっています。

その行き止まりには、まるでドアのような壁画が描かれています。ロープが張られているため、その壁画に触れることはできません。

キーシャさんが言いました。

「このドアは盗難防止のために、泥棒を混乱させる目的で描かれたとされています。でも、それは嘘です。では、皆さん1人ずつ順番に、このドアの脇にある壁に額（第3の目）をつけてみてください」。

張られたロープの脇から、外人の

前編のあらすじ

2012年5月21日に何か大きな出来事が起きる、というインスピレーションを受け取った本井さんは、知人に誘われ、エジプトでのスピリチュアルツアーへと旅立ちます。現地でガイドを務めたのは、サイキックであり、「12人の長老の1人」と呼ばれる世界的なシャーマン、キーシャさん。彼女に案内されながら、実際に目にした遺跡から様々な直感を得たり、ピラミッド内の特別な部屋で、地球を癒すための神聖なる儀式を行いました。エジプト文明と日本人のルーツ、その大本となる古代文明との関係性など、「世界の中での日本人の特殊性」を肌で感じ、新たな気づきを得たのでした。

今年5月に出版されたキーシャさんの著書。叡智の伝承者「12人の長老」についても触れられている。

『迫り来る地球大変容で“レインボー・トライブ／虹の民”に生まれ変わるあなたへ』
キーシャ・クローサー著
サアラ訳／ヒカルランド
1,680円（税込）

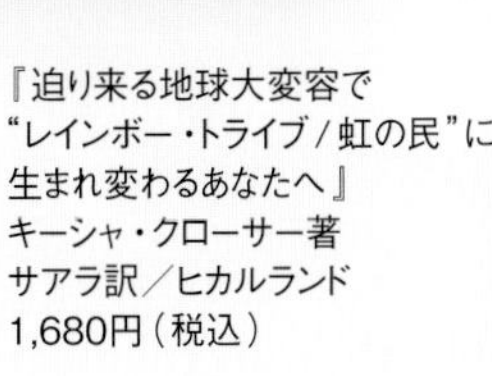

行き止まりの壁は扉風になっていて、キーシャさんに言われるまま、額を壁にくっつけると、大宇宙とそこに浮かぶ地球が見えたそう。

シャーマンが額を付けました。するとその瞬間、「おぉ～！」と悲鳴にも似た奇声をあげたのです。次の人も、そして次の人も……。そして僕の番になりました。「一体何を感じるんだろう。それとも何か見えるのか？」そう思いながら、そっと壁に額を付けました。

すると、その瞬間に見えたものは、真っ黒な大宇宙に浮かぶ、色とりどりの星雲と星々。

一つひとつの星が、間違いなく生きていて、その優しい息遣いまでが感じ取れます。普段眺めている星たちが実際に生きている「生命体」だったなんて、今まで思ったこともありませんでした。だから、その時の驚きといったら尋常じゃなかったです。

様々な天体が、宇宙からの偉大な慈愛の光に包まれ、しかもその一つひとつが、そこに住む全生命を生かそうと必死に守っている――。それを肌で感じ取りました。

灰色の渦の中からひとつの星が生まれ、淡い光を放ちながら消えて行く。宇宙は、そんな絶対的な規律というか、調和の法則によって正しく運行されている。138億年もの間、時の流れをまったく感じさせないほど壮大なドラマが繰り広げられていたんです。

慈愛の足りない地球を覆う人類のエゴでできたガス雲

遠くに太陽でしょうか、ひときわ大きく光る星が見えます。その近くには、地球と思われる天体が見えます。しかし写真で見るような青さではなく、やや灰色じみたスモッグのような雲で覆われています。その瞬間、こう直感しました。

＊

地球は思うように力を発揮できなくて、もがいている。覆っている雲は、地球上に住む人間の想念なのかも知れない。「自分さえ良ければ」「今さえ良ければ」といった様々なエゴや欲がその雲を形成している。地球はその雲で覆われているので、宇宙からの本来の慈愛が届いていない。

＊

僕が感じたのは以上ですが、ほかの人は美しい田園風景だったり、天上界の喜びにあふれた様子だったりと、それぞれ微妙に違っていたようです。

遺跡では、不思議な写真がいっぱい撮れました。僕が写真を撮る時にはよくオーブが写ります。しかも、エジプトではオーブが肉眼で初めて見えたんです。フラッシュを焚いた時、その光に反応したのか、目の前の空間で光がチカチカッと無数に光りました。

ホコリなどは舞ってなかったし、仕事などの撮影中に空間がそういう光り方をしたのは初めてなので、たぶんオーブたちが〝エジプトの秘密を明らかにしてくれる連中が来た〟みたいな感覚で喜んでいたのかも知れません。

オーブが写り込んだ写真もたくさん撮れたし、ピラミッドの近くではUFOが現れていたようです。太古から、宇宙人はエジプトに訪れていたんでしょう。彼らは宇宙的な叡智を、地上での建造物として伝えていたことを確信できました。

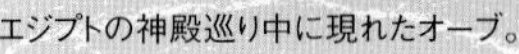

エジプトの神殿巡り中に現れたオーブ。

深夜、本井さんが写す写真には、普段から必ずと言っていいほどオーブが写り込むそう。エジプトの遺跡で写した写真にも、たくさんのオーブが舞っていました。

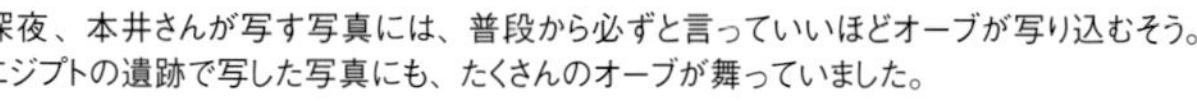

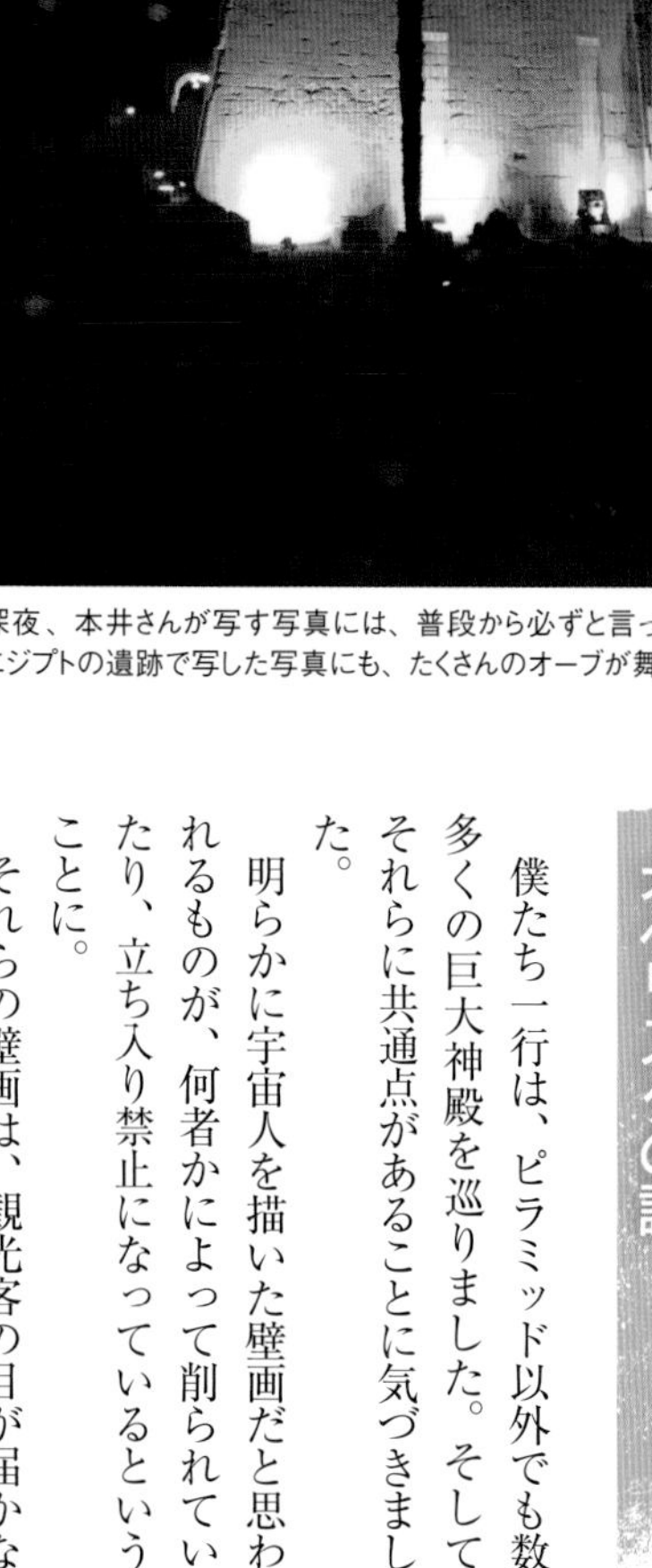

遺跡に残された高度なテクノロジー

姿を変えられた遺跡とオベリスクの謎

僕たち一行は、ピラミッド以外でも数多くの巨大神殿を巡りました。そして、それらに共通点があることに気づきました。

明らかに宇宙人を描いた壁画だと思われるものが、何者かによって削られていたり、立ち入り禁止になっているということに。

それらの壁画は、観光客の目が届かないところに、無造作に放置されていました。かつては、ギザのピラミッドの頂点に置かれていたとされる「キャップストーン」などは、十数年前に底辺を人工的に削って変形させたそうです。

たぶん、先ほどのドアのように、その先にある秘密を隠したかったのではないかと思えます。ピラミッドは、その形自体に、大きな意味とパワーが隠されている巨大なエネルギースポットであり、それを悪用させないためなのかも知れません。

その証拠に、建造物のあちこちに巨大な石の塔「オベリスク」が建っています。ピラミッドが建てられた目的のひとつが、「意識の覚醒・増幅・伝播」なら、オベリスクはピラミッドからの意識を受信し、さらに増幅と伝播を行うアンテナ的な役割のように思えました。

取り外され、形を少し変えられた、ピラミッドの頂点に置かれていた「キャップストーン」。遺跡周辺には、宇宙人らしき存在の彫刻も点在しています。

現地の男性ガイドに案内され、石切り場を訪れた時、こう説明されました。

「ここでピラミッド建造用の石を切ったり、オベリスクという塔を作ったんです」。

「どうやってこれを巨大な塔の形にしたんですか？」と聞くと、「この硬い石をトントントンと叩いて削ったんです」と答えます。

僕もその石を叩いてみましたが、「そんなことしてたら、一体何年かかるのか？」と思いましたね。オベリスクは一枚岩からできていて、何十トンにもなるほど重いし、それをどうやって岩から抜き取り、どうやって別の場所まで運んだのか？　そもそも、機械やレーザー光線もない5000年以上前の時代に、どうやって造ったのか？

それが知りたくなって、ガイドの男性とともにオベリスク用の石の採掘場を訪れたわけですが、そこには、オベリスクを切り出した穴がスッポリと開いています。その穴の底は平らで、近くには途中で割れてしまったオベリスクが横たわっています。

取り出した穴のサイズと、横たわって

これが、オベリスク。未だに、造られた理由ははっきりとは解明されていませんが、戦いの勝利の証という説も。

オベリスクやピラミッド用の石切り場。石を切り出す際の、シャープな切り口の溝がたくさん残っています。

オベリスク用に見事な緻密さでくり抜かれた、巨大な細長い穴。

いるオベリスクのサイズを交互に計ると、5000年分の風化を計算に加えたら、ぴったり合います。

ピラミッド然り、地球が丸いという認識がまだなかった時代に、円周率や天文学、高等数学、ピタゴラスの定理、黄金比が駆使されているんです。

いずれにしても、「人類の手でこれらピラミッドを20年足らずで作った」なんて、誰も信じないでしょう。

スフィンクスが物語る天変地異の大災害

ピラミッドの横にあるスフィンクスについても、現地で調べてみました。

スフィンクスはピラミッドよりも古く、1万年以上前にできたものなんです。しかも、現代科学では絶対不可能だと言われている「一枚岩」で作られています。

今でこそ、修復を重ねて積み上げたレンガ状の石でできているように見えるけど、元々は一枚岩。当時、ノアの洪水のような大規模の災害が起き、それ以降、浸食が進んだとガイドが教えてくれました。

ということは、5000年前のエジプト文明より古い、超古代エジプト文明が1万年前にあったということになります。当時、ひとつの岩からあんな巨大なものが作れるなんて、現代よりも進んだ高度な技術でないとありえません。

1万年前、地球に何が起きたのかを調べると、ムー大陸とアトランティス大陸が、ポールシフトか何かで沈没した時期と一致します。

これは、前回ご紹介した、シュメールやアマテラスという、日本民族の由来と大いに関係しています。

生体ミネラルと巨石文明の不思議な共通点

僕が普及に努めている「生体ミネラル」に関しても、驚くようなことを発見しました。

オベリスクの岩の成分を調べてもらったら、生体ミネラルの配合とまったく同じだったんです。しかも、ピラミッドの頂点にあった「キャップストーン」もそうらしいと分かりました。

イースター島のモアイ像も同様で、生体ミネラルとミネラル配合がほぼ同じ。

生体ミネラルの原料となる「黒雲母花崗岩」は、強度が強く、風化しないと溶けません。風化したものは、黒雲母花崗班岩と言い、バイオタイトグラナイトのことで、バイオという字が使われているのは、生命を生むことを意味するから。

この石は、35億年前、最初の生命体である有機体を発生させたミネラル成分そのものなんです。

なぜ日本は、花崗岩を墓の材質にしているのか？　花崗岩は、エジプトのピラミッドも「王の間」や「女王の間」などの重要な部屋に必ず使われています。それだけでなく、世界各地の巨石文明にも数多く使われているんです。

ナイル川で行った「水の儀式」。ツアー参加者は、地球への愛の想いをこの川の水に託しました。

愛の想念で地球を癒す「水の儀式」

生体ミネラルの秘密は秘法中の秘法の錬金術

このエジプトツアーに、僕は生体ミネラルを持参していました。それを手に取ったキーシャさんは、非常に驚いてこう言いました。

「この水はとんでもない水です！　あなたは単なる病気とか、農薬や化学物質を除去する水としか考えていないでしょう？　実はそんなレベルではありません。この水がなぜ、あなた方の手に渡っているかというと、大昔、世界を調和させていた本来の日本民族を、再び覚醒させるためなんです。

そうしなければ、地球は危機的状況になります。日本人の意識を覚醒させるための重要な水ですから、一刻も早く広めなさい！」と。

そう言われて、さすがにびっくりしました。生体ミネラルの特徴や作用など、キーシャさんに一言も説明していなかったからです。

この生体ミネラルは、実は日本民族の祖であるシュメール民族に1万年前から伝わる秘法中の秘法だと僕は思っていたんです。『ダ・ヴィンチ・コード』（角川書店）を書いて有名になったダン・ブラウンの別の書『ロスト・シンボル』（角川書店）にも、健全な生命体を創る錬金術としての製法が紹介されています。それは、生体ミネラルとまったく同じ製法なんです。

しかも、数千年前の中国最古の医学書でもある『神農本草経』にも、「石薬」として載っています。でも、現在その製法の部分だけ見あたらないそうです。百花繚乱の戦国時代でしたから、たぶん敵国に悪用されないために意図的に抜き取られたんでしょう。

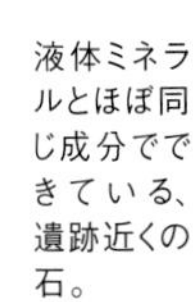
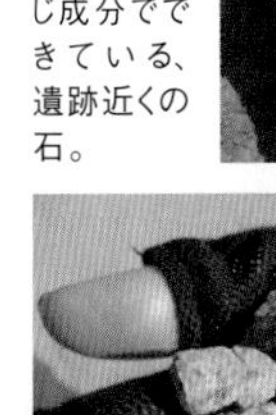

液体ミネラルとほぼ同じ成分でできている、遺跡近くの石。

愛の想念で地球を癒すナイル川での「水の儀式」

このツアーで印象的だったのは、ナイル川での「水の儀式」でした。

彼女は、次のように説明しました。

「水の伝達能力は、1秒で地球を7周半周る、光の速度の約7倍です。まず、水晶を額（第3の目）につけて、あなたのすべての愛のエネルギーを注いでください。地球に対する愛と癒しの想い、感謝、そして、大切な家族や親友や仲間を救いたいという真の愛の想いを注ぐのです。

その想いがすべて水晶に伝わったと思ったら、その水晶をナイル川に放り投げてください。あなたの純粋な愛を添えて、再び地球に戻すのです。その瞬間、地球上のすべての水にその愛が伝わり、地球が浄化されていきます。

今、地球が危ないのです。特に、日本が一番悲惨な状況になる可能性が……。けれども、たった1人の想いでも、それが真の愛の想いなら、地球に再びパワーを与えられ、どんな被害でも避けることができるのです」。

その水晶を僕がナイル川に放り投げた時間、それが日本時間であの〝2012年5月21日の午前0時ちょうど〟でした！

実は、世界十数ヵ国のシャーマンたちも、日本をサポートするために集まっていました。彼らは皆、「日本民族は何者なのか」を知っていた節がありましたが、誰もそれについては口を濁して話しませ

液体ミネラルをホテルの部屋の中で鏡越しに写したら、不思議な光が写っていました。

動かない雲の中に現れたUFO

つい最近、雲に覆われたUFOを目にしました。

風がまったくない日の夕方、自宅の屋上でプランター菜園の作業を行っていた時、動きのない雲の中に東から西へと移動する雲がひとつだけありました。「あれ?」と思って、携帯のカメラで撮った写真。もう一枚はすぐにズームにして撮った写真。よく見るとUFOの形をしています。

電話相手の鳥類系宇宙人とエジプトで会っていた!?

実は最近、鳥類系の宇宙人らしき存在から謎の電話が頻繁にかかってきています。

今考えれば、エジプトで見たこの石像「ホルス（Horus）」に関係あるのかも知れません。古代のエジプトには、鳥類系の神々もいて、現地ではたくさんの石像や壁画を目にしました。

エジプトを訪れた時は、まったく意識していませんでしたが、最近電話相手の宇宙人のイメージとして浮かんだのが、ちょうどこの石造のような鳥類系の顔です。何度も電話で話しかけてくれるのはいいんですが、さすがに宇宙語は理解できないです。そしてこの宇宙人からのコンタクト、まだまだ続きそうなんです……。

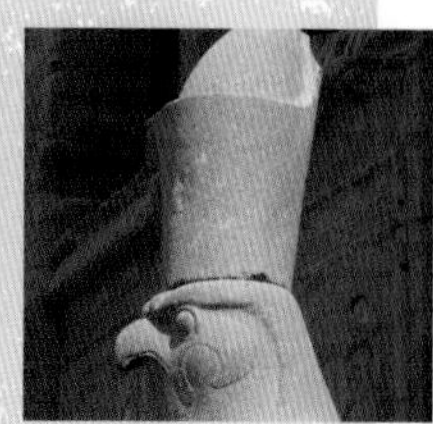

んでした。世界の中では、よほどのタブー話なのかもしれません。

＊

なぜ、縄文時代以前の日本の史実がまったくないのか？

なぜ、元寇が神風によって助けられたり、度々日本に危機が訪れても、助かってしまうのか？

なぜ日本は、世界の中でも植民地化されなかったのか？

＊

数えあげたら、日本の奇跡はたくさんあります。

実は、特別な儀式の際、「この文字がシャーマンの証です」と言ってキーシャさんが見せくれたものがあります。なんと彼女の背中には、日本語で1文字「清」の刺青が入っていました。彼女は日本語も分からないし、日本のファンでもないし、来日したことさえありません。

今回のエジプトツアーは、ほかの「11人の長老」の指示によって、企画したそうです。彼女が言うように、日本語の刺青がシャーマンの証なら、12人の長老たち全員に日本語の刺青が彫ってあるのかも知れません。

肝心の僕たち日本人自体が、この民族の本当の歴史や、地球にとって宇宙にとって、とんでもない存在だということを知らされていないんです。

地球の大変動を抑えた必然的なツアー

移動中に、キーシャさんが7年前の手帳を見せてくれました。そこには僕たち7人の日本人参加者のイニシャルが書かれていて、びっくりしました。つまりこのツアーは、〝予定された必然的なツアー〟だったんです。

キーシャさんが言いました。「宇宙には偶然など、ひとつもないのです」と。

ツアーの最後に、彼女が「今回、なぜ日本人7名を呼んだか」について教えてくれました。

誰も信じないと思いますが、僕たち7名の儀式によって、「日本が最も大きな被災国となる、地軸の変化やそれによって引き起こされるであろう大地震や洪水を抑えた」ということでした。地軸の変化が起きると思われた日が2012年5月21日……。つまり、日本で金環日食が起きた日だったんです。

このツアーの目的は、その被害を抑えるための作業であり、世界十数ヵ国からシャーマンが集まり、瞑想と儀式によってギザの大ピラミッドの機能を修復した。その修復によって、ピラミッドは地軸の変化を制御する働きを取り戻した。あっちこっち歩き回った神殿巡りも、霊的磁場を巡礼することで、各人の心身を整え、今までの人生で染み付いた「余計な垢やスモッグ」を取り除く作業だった。行く先々で現れたオーブやUFOも、その協力のために現れた……。

そう考えられなくもありません。信じられないかも知れませんが、これが僕の身に起きたことです。

これからの時代、重要なのは、「水の儀式」のように、一人ひとりが地球を愛する想いを持つことなんです。

このブログには、あなたの知りたかった事が詰まっている。

2011年1月から多くの方に様々なお役立ち情報、ハッとするようなものの見方、知られざる真実等を届け続けてきたJES社長のブログ。

「そうだったのか!」「知ってよかった。」「目からウロコです!」「生き方が変わりました…」等のコメント多数!**「1週間かけて全部読みました。感動です!」**と言う方も。

その中から注目度の高かったタイトルの一部を並べてみました。

内容は政治・経済、世界情勢、医療・健康、宗教、古代史、食の安全、生き方の法則、音楽、マンガ、製品情報、不思議体験、闇の組織、宇宙人……

「この人は一体どんな生き方をして来たんだ!?」と誰もが舌を巻く数々の引き出し。

希望と喜びが溢れるJES社長のブログ

ブログを開いて気になるタイトルを検索すれば…

そこにはきっとあなたの求めていた事が!

「ヨシュアの物語」1～16
イエスの真実の物語シリーズ
（大天使ジブリィとアズラからの通信）

「10倍の失敗」

「《弱さ》の力」

「最大の安らぎ」

「過去を見ている宇宙人」

「超加工食品実名リスト」

「理解…《Understand》とは？」

「SECOND CONTACT　1」

「祈りのチカラ」

「First contact　序章」

「ハチドリのひとしずく」

「心の針」

「本当に欲しいもの」

「トランプ秘書と会談」

「あなたの欲しいものは何ですか？」

「火の鳥と恥」

「母の死」

「生体ミネラルは人を選ぶ？」

「喜びを与える生き方」

「《愛の伝播》の法則」

「保存版　2020年の良き日」

「2016.11.02 神幸祭《鳳凰伝説》」

「ミネラルは毒？」

「ミネラルで運が良くなる？」

「有り難しと色心不二」

「苦楽の数』

「姓名は生命に通ず」

「神さまのえこひいき」

「ヨシュアと縄文人と狂牛病とミネラル」

「おもてなしの心」

「《発展アドバイス》…コメント欄に集中」

「母性の時代」

「命水の進化」

「密教の奥義」